NÓRDICOS
OS MITOS

PandorgA

Copyright © 2024 Pandorga
All rights reserved. Todos os direitos reservados.
Editora Pandorga
1ª Edição | 2024

Diretora Editorial
Silvia Vasconcelos

Coordenador Editorial
Equipe Pandorga

Capa
Gabrielle Delgado

Projeto gráfico e Diagramação
Gabrielle Delgado

Organização
Leandro Villar
Andrea Caselli

Tradução
Leandro Villar

Revisão
Equipe Pandorga
Ricardo Marques

Aviso legal: Este livro contém nudez artística e relatos sensíveis a vítimas de abuso sexual e violência contra a mulher. Os pontos de vista do período da Antiguidade, contudo, não refletem os valores da Editora Pandorga e de seus colaboradores.

PandorgA

Dados Internacionais de Catalogação na Publicação (CIP) de acordo com ISBD

N832
    Nórdicos - Os Mitos / organizado por Andréa Caselli, Leandro Vilar. - Cotia : Pandorga, 2024.
    240 p. : il. ; 16cm x 23cm.

    Inclui índice.
    ISBN: 978.65.5579-259-1

    1. Literatura. 2. Mitologia. 3. Mitos. I. Caselli, Andréa. II. Vilar, Leandro. III. Título.

2024-1184   CDD 800
                                CDU 8

Elaborado por Vagner Rodolfo da Silva - CRB-8/9410
Índice para catálogo sistemático:
    1. Literatura 800
    2. Literatura 8

LOKI

SUM

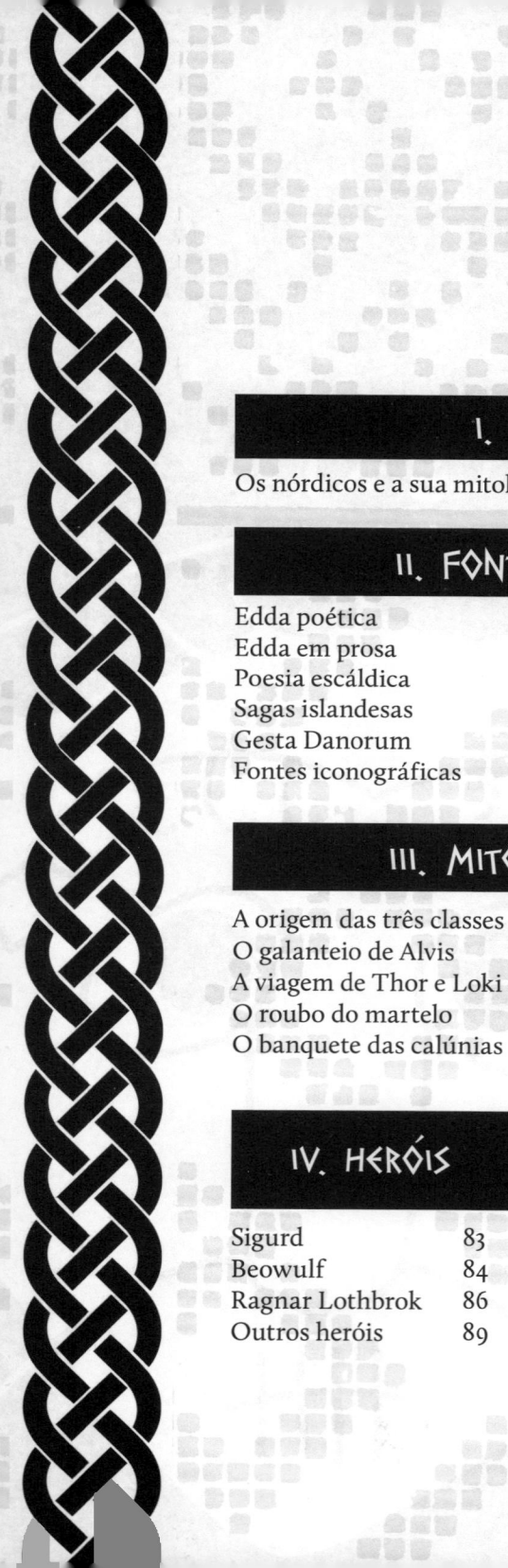

I. INTRODUÇÃO

Os nórdicos e a sua mitologia 13

II. FONTES MITOLÓGICAS

Edda poética 19
Edda em prosa 25
Poesia escáldica 27
Sagas islandesas 29
Gesta Danorum 33
Fontes iconográficas 35

III. MITOS SELECIONADOS

A origem das três classes 43
O galanteio de Alvis 46
A viagem de Thor e Loki a Utgard 50
O roubo do martelo 60
O banquete das calúnias 64

IV. HERÓIS

Sigurd 83
Beowulf 84
Ragnar Lothbrok 86
Outros heróis 89

V. GUERREIROS E GUERREIRAS

Os berserkir 95
Os ulfhednar 97
As donzelas de escudo 99

VI. ANIMAIS DOS MITOS

Tanngrisnir e Tanngnjóstr	105	Serpentes e dragões	110
Hugin e Munin	107	Cavalos	113
Lobos	108	Outros animais	114

VII. ESPÍRITOS DE PROTEÇÃO

VIII. CRIATURAS

As dísir	120	Troll	128
As fylgjur	121	Nattmara	130
As hamingjur	122	Nøkken	131
As serpentes do lar	122	Hafgufa	132
Os draugr	124		

IX. NOVE MUNDOS

Alfheim	136	Nidavellir	141
Asgard	137	Niflheim	141
Jotunheim	138	Vanaheim	143
Midgard	139	Svartalfheim	143
Muspelheim	140		

X. SALÕES DOS DEUSES

Alfheim	146	Noátun	151
Bilskirnir	147	Sessrúmnir	152
Breidablik	148	Trymheim	152
Eljudnir	148	Valhalla	153
Fensalir	149	Outros salões	154
Himinbjorg	150		

XI. MUNDOS DOS MORTOS

As concepções sobre a morte 158
Valhalla 160
Helheim 162
Náströnd 164
Outros mundos dos mortos 166

XII. ARMAS E OBJETOS

Andvarinaut	171	Espadas mágicas	176
Brisingamen	172	Gjallarhorn	178
Caldeirões	173	Gungnir	178
Draupnir	175	Mjölnir	180

XIII. NAVIOS & XIV. MAGIAS NÓRDICAS

Hringhorni	185	Seidr	190
Naglfar	186	Galdr	192
Skidbladnir	187	Magia rúnica	194
		Outras magias	196

XV. SAGAS SELECIONADAS

Ragnar Lothbrok 201
Yngvar, o Viajado 205
Grim contra os trolls 214
Starkad, o Alto 220

XVI. CURIOSIDADES NÓRDICAS

Funeral Viking 231
Vinland 233
Bluetooth 235

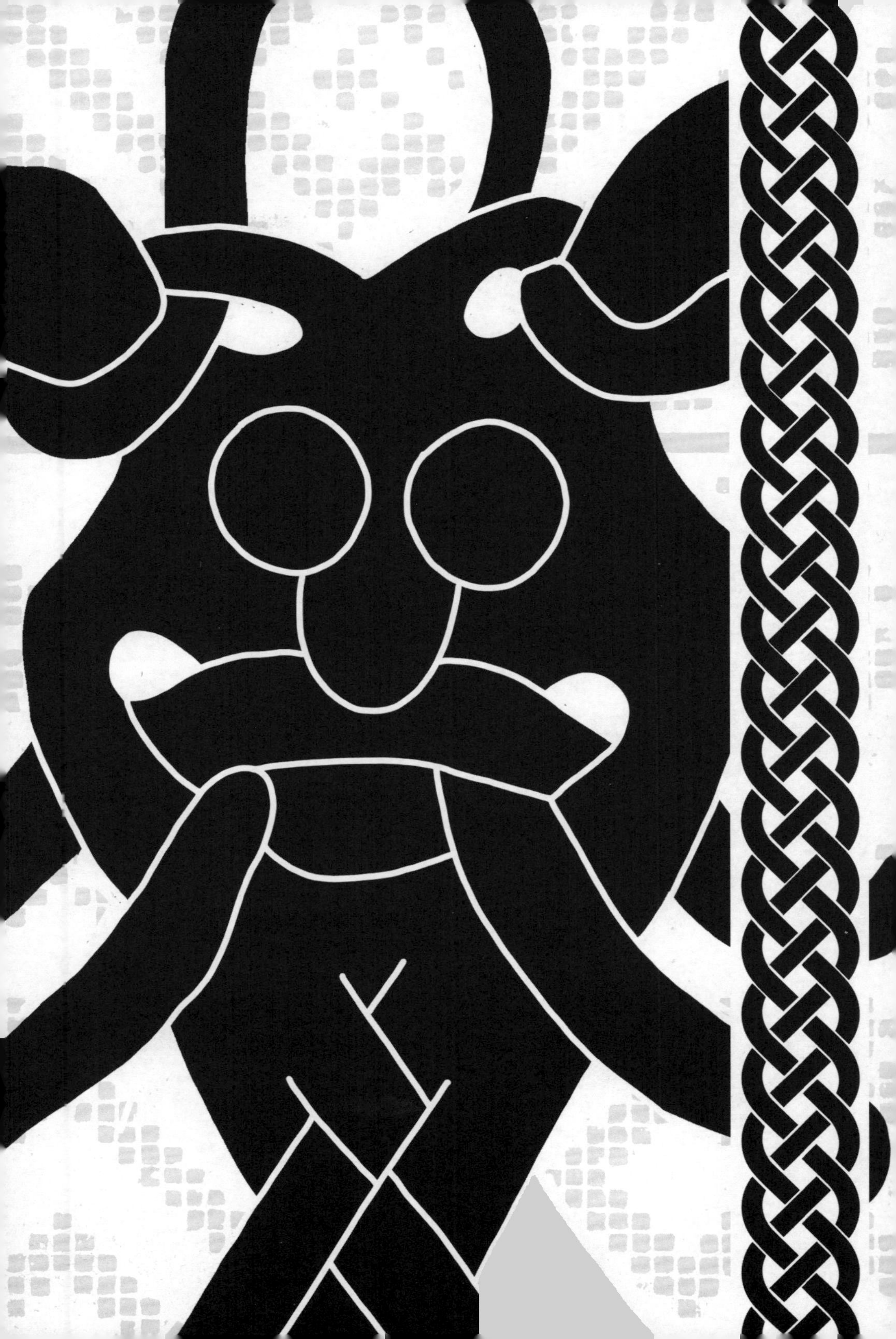

INTRODUÇÃO 1

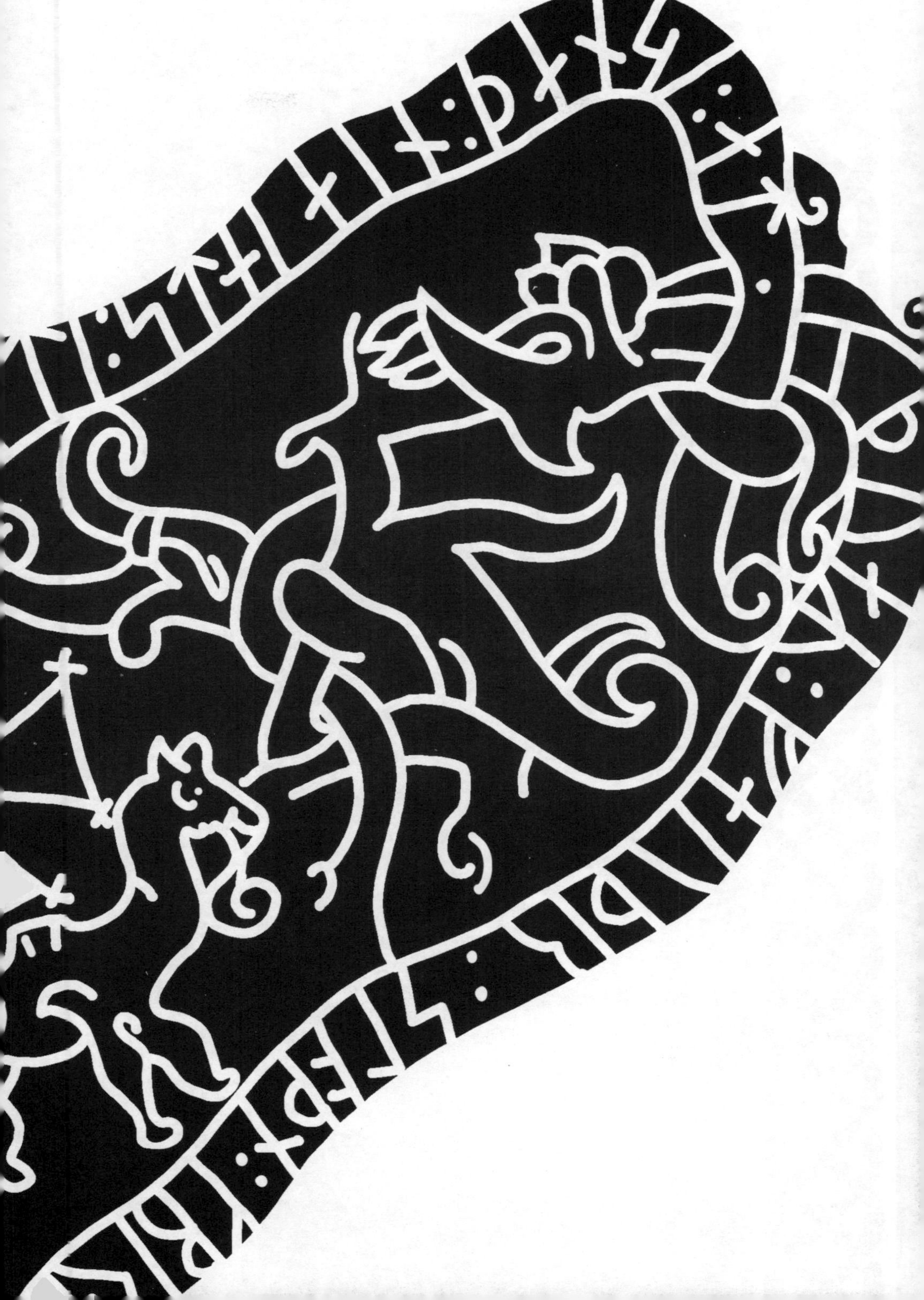

Pedra de Broa em Gotland, Suécia, séculos VIII a IX. Retrata uma mulher oferecendo bebida a um viking, talvez dando-lhe as boas-vindas em Valhalla, acima de um navio viking. Museu de Gotland, Fornsalen, Visby, Gotland.

OS NÓRDICOS E A SUA MITOLOGIA

Atualmente, a palavra "mito" é utilizada no sentido de mentira, algo falso, narrativa fantástica ou épica; por isso, há quem considere que os mitos sejam narrativas que não devam ser levadas a sério e tratadas como entretenimento. No entanto, esse é um pensamento equivocado, pois, em determinadas épocas e lugares, os mitos tinham grande importância para as suas sociedades, uma vez que representavam as visões de mundo, crenças religiosas, formas como tais povos enxergavam a realidade, vida, morte, natureza, humanidade etc. Na ausência da Filosofia, da História e da Ciência, eram os mitos os responsáveis por fornecer, em alguns casos, explicações. Nesse sentido, o mito não apenas era uma narrativa fantástica sobre deuses, heróis e monstros para entretenimento, mas explicava, ensinava, aconselhava, justificativa e decretava.

Por tal viés, os mitos desempenhavam um importante papel nas mais diversas sociedades, desde povos tribais até mesmo a civilizações, com seus Estados, reinos e impérios; e mesmo na atualidade os mitos exercem a sua influência. Na Europa, a mitologia grega é ainda hoje a mais conhecida, devido à abundância de mitos preservados na Antiguidade e reapropriados pelas artes desde então. Mesmo aquele indivíduo que nunca leu um poema ou livro de mitologia grega consegue reconhecer alguns nomes de deuses, heróis e monstros. Depois da mitologia grega, a que mais se destaca no cenário europeu é a mitologia nórdica, que começou a ser difundida no século XIX com o romantismo nórdico, britânico e alemão. Vários livros, pinturas, peças teatrais e óperas surgiram nesse período.

Embora na Europa tenhamos outros conjuntos mitológicos, como os dos celtas, germânicos, irlandeses, eslavos, bálticos etc., a mitologia grega e a nórdica são as mais populares e influentes nas artes, na mídia e na cultura. Graças a isso, hoje em dia falar de Odin, Thor e Loki é tão habitual quanto falar de Zeus, Poseidon e Hércules. O público contemporâneo, mesmo não tendo lido nenhuma fonte sobre os mitos nórdicos, conhece os seus personagens e narrativas por meio de filmes, séries, desenhos, quadrinhos e jogos.

Mas de onde vem essa tal mitologia nórdica ou mitologia escandinava? O termo se refere ao conjunto de narrativas mitológicas surgidas em período incerto da Idade Média, na região da Escandinávia, no norte da Europa, hoje compreendida pelos territórios da Dinamarca, Noruega, Suécia e Islândia. Apesar das origens incertas, muito do que se conhece sobre essa mitologia advém da tradição oral e escrita, desenvolvidas entre os séculos VIII e XIII, incluindo a chamada Era Viking (VIII–XI) e o início da Idade Média Nórdica (XII–XV).

Tais mitos estão espalhados em diferentes fontes, as quais apresentamos no primeiro capítulo deste livro, compreendendo narrativas sobre os deuses, gigantes, guerreiros, heróis, guerras, alianças, traições, aventuras, descobertas, mistérios, origens, ódio, vingança, sabedoria, trapaça, sagacidade, ingenuidade, honra, lealdade, vida, morte etc. São histórias que enriquecem essa mitologia e a tornam atrativa mesmo mil anos depois, agregando um público que se interessa por seus personagens e tramas, o qual, na maior parte das vezes, tem acesso a esses mitos por meio de releituras, adaptações e ressignificações nas artes e no entretenimento.

Na Língua Portuguesa, ainda carecemos de traduções das muitas fontes que compreendem a mitologia nórdica. Para se ter ideia, existem dezenas de sagas, mas somente algumas foram traduzidas. A *Edda em prosa* e a *Edda poética*, que são os dois grandes livros da mitologia nórdica, possuem traduções problemáticas, contendo erros e falta de anotações explicativas e uma análise adequada. A *Gesta Danorum*, que também contém algumas narrativas sobre mitos e lendas, ainda não foi traduzida para o português.

Mas, pensando nesse público que tem curiosidade ou até mesmo interesse em se aprofundar na mitologia nórdica, seja para conhecimento próprio, seja para escrever a respeito, o presente livro foi desenvolvido, consistindo num complemento cultural e histórico dos cenários, personagens e registros da mitologia nórdica.

II
FONTES MITOLÓGICAS

No primeiro capítulo, foram apresentadas as principais fontes escritas e iconográficas sobre a mitologia nórdica. Trata-se de obras redigidas na Idade Média entre os séculos XII e XIV, os quais apresentam várias narrativas mitológicas escritas em poesia, crônica e conto. Como dito anteriormente, muitas dessas fontes, especialmente as sagas, não foram traduzidas, mas é possível encontrar algumas traduções das Eddas, apesar da qualidade duvidosa. Por outro lado, alguns poemas da *Edda poética* chegaram a ser traduzidos por profissionais, tendo sido publicados em livros e revistas acadêmicas.

Primeira página da edição da *Edda Poética* ilustrada por W.G. Collingwood em 1908, intitulada "A velha *Edda*, comumente chamada de *Edda* de Saemund".

EDDA POÉTICA

O que chamamos hoje em dia de *Edda poética* consiste numa coletânea de poemas encontrados no *Codex Regius* (GKS 2365 4to), um manuscrito medieval islandês datado do final do século XIII, de autoria desconhecida. Esse manuscrito reúne 29 poemas, os quais versam sobre os deuses e alguns heróis, sendo narrativas de autoria anônima advindas da tradição oral, contadas no nórdico antigo. Tais poemas foram compilados e registrados nesse manuscrito sem título, mas conhecido como *Sæmundar Edda*, segundo sugestão do bispo Sveinsson, por acreditar que o poeta Sæmundr Sigfusson (1056–1133) fosse o autor desse livro, embora hoje seja uma hipótese descartada.

Com base no *Codex Regius*, novas transcrições e traduções foram realizadas, e no século XVIII o livro passou a ser chamado de *Edda poética* (*Poetic Edda*) ou *Edda antiga* (*Elder Edda*). O nome Edda surgiu com base no livro de Snorri Sturluson, o qual já era chamado de *Snorra Edda* no século XIV. No entanto, a palavra "*edda*" não tem uma definição clara; ela é empregada no sentido de bisavó. Com isso, alguns tradutores e literatos sugeriram que a palavra teria sido usada no livro de Snorri com o significado de "antigo" ou "antiguidade". De qualquer forma, essas traduções conservaram o novo título que até hoje utilizamos, embora tenha um significado inconclusivo.

Além dos 29 poemas originais, algumas edições foram sendo acrescidas de mais poemas, totalizando 35 ou 38 deles. É preciso lembrar que este livro consistia numa coletânea, então, diferentes organizadores e editores decidiram acrescentar mais histórias. A seguir, apresentamos os poemas que normalmente aparecem na *Edda poética*, apontando uma sinopse sobre eles

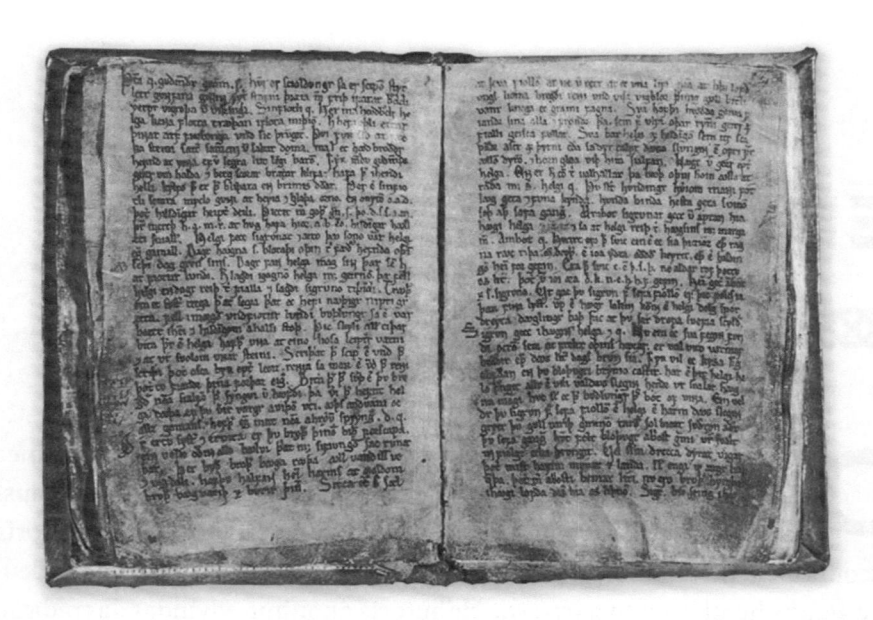

Codex Regius - The King's book of Eddaic Poems. Séc. XIII.

    A primeira parte da *Edda poética* é formada originalmente por dez poemas, dentre os quais alguns apresentam narrativas e outros, citações, comentários e descrições de informações mitológicas de forma dispersa. Essa parte é chamada de "Ciclo dos deuses".

    ⚜ **Völuspá** (Profecia da vidente): é o mais famoso poema da *Edda poética*, possivelmente tendo sido escrito por volta do ano 1000. Ele reúne informações sobre vários mitos que vão sendo apresentadas a partir de um monólogo iniciado após Odin ressuscitar uma vidente (*völva*). O deus indaga à mulher o que ela poderia lhe falar sobre o passado, o presente e o futuro, e a vidente inicia sua narrativa. Ela fala sobre os deuses, gigantes, anões, a origem da humanidade, os salões dos deuses, lugares mitológicos, a Yggdrasil, a morte de Balder, os filhos de Loki, o *Ragnarök* e outros assuntos.

    ⚜ **Hávamál** (Os ditos do Mais Alto): não se trata de um poema mitológico, mas que reúne conselhos, aforismos e reflexões sobre a vida e os costumes de sua época, sendo proferidos por Odin, que, no caso, é chamado por um de seus vários nomes, Hál. Muitos dos comentários contêm metáforas e simbolismos, além de uma linguagem poética. Em um dos trechos do poema, Odin conta como obteve as runas, e essa parte é chamada de "Runatál".

    ⚜ **Vafþrúðnismál** (Os ditos de Vafthrúdnir): neste poema, temos novamente a presença de Odin, dessa vez dialogando com o gigante Vafthrúdnir, considerado muito inteligente e sábio. Com isso, o rei dos deuses faz uma série de perguntas ao gigante para testar sua inteligência e sabedoria. Alguns dos questionamentos são irônicos, metafóricos e simbólicos, versando sobre os nomes dos deuses, a origem do dia e dos ventos, determinados acontecimentos e lugares etc. Porém, Vafthrúdnir sempre tem resposta para tudo.

🜨 **Grimnismál** (Os ditos de Grimnir): este poema possui uma introdução e conclusão em prosa. O início apresenta os irmãos Geirrod e Agnar, que são acolhidos por Odin e Frigga, disfarçados de idosos. Cada um deles decide proteger um dos irmãos. Anos depois, Odin, disfarçado de Grimnir, visita a corte de Geirrod e declama saberes sobre os deuses, descrevendo seus salões, com ênfase em Valhalla; depois ele fornece o nome de vários rios míticos, o nome de alguns dos cavalos e vários outros animais; faz menções a Yggdrasil, nomes de valquírias, a morte de Ymir e a criação do mundo, os presentes dos deuses etc. Por fim, nas últimas estrofes, enumeram-se vários nomes e epítetos pelos quais Odin é conhecido.

🜨 **Skírnismál** (Os ditos de Skirnir): este é o primeiro poema narrativo presente nesse códice. Nele, narra-se a história de como o deus Freyr conseguiu pagar o dote de sua esposa, a giganta Gerðr. A trama se desenvolve acompanhando-se as idas e vindas de Skirnir, criado de Freyr, responsável por resolver esse assunto matrimonial.

🜨 **Hárbarðsljóð** (O canto de Hárbarðr): é um poema curto com teor irônico em que Thor, ao precisar atravessar um largo rio, solicita a um barqueiro chamado Hárbarðr que o leve até a outra margem; mas o barqueiro, que é Odin disfarçado, afronta o deus do trovão, desafiando-o para um *flyting*, uma disputa de afrontas e insultos poetizados.

🜨 **Hymiskviða** (O poema de Hymir): é um dos famosos poemas éddicos, e narra a viagem de Thor e Tyr a Jotunheim em busca de um caldeirão, no intuito de se preparar cerveja. No entanto, durante essa missão, Thor parte de barco com Hymir para tentar pescar a serpente gigante Jormungand.

🜨 **Lokasenna** (O sarcasmo de Loki): consiste num poema satírico em que Loki afronta e ofende os deuses durante o banquete ofertado pelo gigante Aegir. No final do poema, após ser ameaçado de morte por Thor, Loki escapa do salão, é caçado e, em seguida, aprisionado.

🜨 **Thrymskvida** (O poema de Thyrm): este outro conhecido poema do códice narra como o gigante Thrym chantageou os deuses após ter roubado o Mjölnir. Para recuperar seu precioso martelo, Thor teve de se vestir de noiva e fingir ser Freyja. O poema também carrega um tom cômico.

🔥 **Alvíssmál** (Os ditos de Alvis): outro poema irônico que narra a tentativa do anão Alvis de cortejar Thrud, a filha de Thor e Sif.

Alguns dos poemas apresentados na lista anterior foram adaptados para este livro, como poderão conferir no próximo capítulo.

Por sua vez, a segunda parte da *Edda poética* é chamada de "Ciclo dos heróis", que ocupa a maior parte do *Codex Regius*, composto por 21 poemas, em que o primeiro narra a história de Volund, seguido pela trilogia de Helgi Hundingsbane. Em seguida, inicia-se o ciclo de narrativas que se conectam entre si, reunindo Sigurd, Brunilda, Gudrun, Gunnar e Atli.

🔥 **Völundarkviða** (O poema de Volund): neste poema, narra-se a história do príncipe Volund, um hábil ferreiro e ourives que foi sequestrado pelo rei Níðuðr e obrigado a trabalhar para ele.

🔥 **Helgakviða Hundingsbana I** (O primeiro poema de Helgi Hundingsbane): esta é a primeira parte de uma trilogia que narra a aventura trágica de Helgi, herói casado com a valquíria Sigrun, em que ambos morrem e reencarnam com outras identidades. Apesar disso, o destino trágico os acompanha.

🔥 **Helgakviða Hjörvarðssonar** (O poema de Helgi Hjörvarðsson): este poema traz a continuação da trama anterior, desta vez mesclando-se com as narrativas de Atli e dos Volsungos.

🔥 **Helgakviða Hundingsbana II** (O segundo poema de Helgi Hundingsbane): este poema conclui a tragédia de Helgi.

🔥 **Frá dauða Sinfjötla** (Sobre a morte de Sinfjötli): uma breve narrativa em prosa sobre a morte de Sinfjötli, filho de Sigmund, um dos Volsungos. Essa narrativa tem conexão com a trilogia de Helgi e a saga de Sigurd.

🔥 **Grípisspá** (A profecia de Grípir): poema curto que inicia a saga de Sigurd. Nesta narrativa, Grípir conversa com seu sobrinho Sigurd sobre preocupações quanto ao futuro dele, aconselhando-o a respeito disso.

🔥 **Reginsmál** (Os ditos de Regin): dando continuidade à jornada de Sigurd, este poema narra como o jovem herói foi se encontrar com seu tutor, o anão ferreiro Regin, que instruiu seu discípulo a ganhar fama, na tentativa de obter o tesouro guardado pelo dragão Fafnir.

🔥 **Fafnismál** (Os ditos de Fafnir): este poema narra o confronto de Sigurd contra o dragão e a traição de Regin.

🔥 **Sigrdrífumál** (Os ditos de Sigrdrifa): Sigurd conhece e liberta Brunilda de seu sono imposto por Odin. A valquíria também é chamada de Sigrdrifa, instrui o herói e se apaixona por ele.

⚠ **Grande lacuna**: é a seção em que oito folhas foram perdidas. Dava seguimento à história de Sigurd e Brunilda.

⚠ **Brot af Sigurðarkviðu** (Fragmento do cantar de Sigurd): este poema, composto por 22 estrofes, consiste numa parte que não foi perdida na Grande lacuna. Apesar disso, essas estrofes contam que Sigurd foi assassinado, e Brunilda é avisada sobre isso, entrando em prantos, mas tomada de raiva, por suspeitar que mandaram matar seu amado, mesmo sendo ele casado com Gudrun.

⚠ **Guðrúnarkviða I** (O primeiro cantar de Gudrun): é um poema dramático em que Gudrun lamenta a morte de seu marido, Sigurd.

⚠ **Sigurðarkviða hin skamma** (O canto breve de Sigurd): embora seja chamado de breve, o poema é composto por 71 estrofes, nas quais se rememoram alguns acontecimentos da vida do herói, seu assassinato e seu funeral.

⚠ **Helreið Brynhildar** (A viagem de Brunilda para Helheim): este poema continua a apresentar o funeral de Sigurd e informa que Brunilda decidiu cometer suicídio para poder acompanhar seu amado. O poema foca em descrever os preparativos para o funeral.

⚠ **Dráp Niflunga** (A morte dos Niflungos): uma pequena seção em prosa, a qual informa que os irmãos de Gudrun, Gunnar e Hogni se apossam do tesouro de Fafnir.

⚠ **Guðrúnarkviða II** (O segundo cantar de Gudrun): neste poema, inicia-se a narrativa focada no rei Atli, que se casa com Gudrun, forçada ao matrimônio. Este poema e o seguinte apresentam, da perspectiva dela, os dissabores em seu casamento e os problemas entre seu novo marido e Gunnar.

⚠ **Guðrúnarkviða III** (O terceiro cantar de Gudrun): poema curto no qual Atli suspeita que Gudrun o estivesse traindo.

⚠ **Oddrúnargrátr** (O lamento de Oddrún): a personagem que dá título ao poema é a irmã de Atli, cortejada por Gunnar, irmão de Gudrun. Trata-se de uma narrativa que dá continuidade à série de desentendimentos entre Atli e Gunnar, culminando em assassinatos.

⚠ **Atlakviða** (O cantar de Atli): neste poema, é narrada a decisão de Gudrun de vingar a morte de seus irmãos, ordenando que Atli e sua família fossem assassinados.

⚠ **Atlamál in grœnlenzku** (O poema groenlandês de Atli): uma outra versão da narrativa contada no poema anterior. Focando-se na briga entre Atli, Gunnar e Gudrun.

⚠ **Guðrúnarhvöt** (O lamento de Gudrun): pequeno poema que narra o que houve com Gudrun após ela realizar sua vingança contra Atli.

🔺 **Hamðismál** (Os ditos de Hámdir): um poema de 31 estrofes que narra a tragédia de Hámdir, um dos filhos de Gudrun com seu último marido, o rei Jonakr. Este poema encerra o ciclo de Gudrun.

Apresentadas essas breves sinopses sobre os poemas que compõem a versão do *Codex Regius*, comentaremos agora os poemas que foram incluídos nas versões atuais da *Edda poética*; eles contêm a seção "Ciclo dos deuses", consistindo nas seguintes obras:

🔺 **Balders drauna** (Os sonhos de Balder): um poema curto em que Balder sonha com sua morte. Preocupado com isso, Odin viaja a Helheim para buscar conselhos com os mortos.

🔺 **Rigstula** (O conto de Rig): um poema irônico no qual, por meio de Rig (nome usado por Heimdall), é explicada a origem dos escravos, dos homens pobres e dos nobres.

🔺 **Hyndluljóð** (O canto de Hyndla): neste poema, Freyja questiona a giganta Hyndla, que possui o dom da vidência. Embora indagada acerca do futuro, grande parte da narrativa apresenta Hyndla fazendo comentários e menções a vários personagens desconhecidos, bem como a pessoas e acontecimentos apresentados em outras narrativas desta *Edda*.

🔺 **Grógaldr** (O feitiço de Gróa): este poema narra como Svipdag utiliza necromancia para ressuscitar brevemente sua mãe Gróa, uma ex-feiticeira, e lhe pedir ajuda e conselhos; de forma enigmática, ela instrui o filho.

🔺 **Fjölsvinnsmál** (O poema de Fjölsvinn): este poema apresenta uma outra história para Svipdag, que, seguindo os conselhos da mãe, foi procurar por Fjölsvinn, responsável por guardar uma fortificação onde vive a bela Ménglod, num salão repleto de riquezas. O vigia impede o acesso de Svidpag, e eles iniciam um diálogo em que se faz várias perguntas estranhas, até que o vigia se dá por satisfeito e deixa Svidpag entrar.

EDDA EM PROSA

Sua autoria é atribuída a Snorri Sturluson (1178-1241), poeta e escritor islandês, membro de uma rica família, o que lhe permitiu ter uma formação erudita na época. Em vida, sua reputação era de erudito e legislador; também é atribuída a Snorri a autoria da Heimskringla, uma coletânea de sagas de reis, a "Saga de Egil Skallagrimsson" e talvez outros poemas e sagas hoje desconhecidos.

A *Edda em prosa* teria sido redigida na década de 1220, consistindo num manual mitológico, pois percebe-se o intuito de fornecer explicações e comentários sobre os mitos. Snorri organizou uma série deles, fazendo com que muitas pessoas optem por ler sua obra para saber a respeito da mitologia nórdica, por ser uma leitura mais fácil do que a dos poemas da *Edda poética*. Atualmente quatro manuscritos deste livro são conhecidos, estando presentes no *Codex Regius* (GKS 2367 4to), no *Codex Upsaliensis* (DG 11), no *Codex Wormianus* (AM 242 fol) e no *Codex Trajectinus* (MSS 1374).

Snorri Sturluson.
Christian Krogh, 1899.

A *Edda em prosa* é dividida em quatro seções ou partes. A primeira é normalmente chamada de "Prólogo", uma seção que ainda gera debates entre os estudiosos, pois não se sabe se foi mesmo Snorri Sturluson ou outra pessoa quem a escreveu. O motivo se deve à condição de que esse prólogo possui um caráter evemerista[1] com base em referenciais bíblicos e greco-romanos. No prólogo, por exemplo, encontramos referências à Guerra de Troia e até mesmo à mitologia romana. Embora possa parecer estranho, era comum que poetas e escritores da Idade Média fizessem referências aos clássicos gregos e romanos. Snorri Sturluson, tendo sido

---

[1] Teoria desenvolvida pelo escritor Evêmero, em que o autor defendia que os antigos deuses e heróis teriam sido homens reais que foram divinizados, tornando-se lendários e míticos.

um erudito, talvez soubesse ler em latim e tenha tido contato com cópias dessas narrativas clássicas. De qualquer forma, o prólogo associa a condição de que os deuses nórdicos seriam, na verdade, sobreviventes da Guerra de Troia que migraram para a Escandinávia e foram divinizados, tornando-se "falsos deuses".

A segunda parte, a principal seção da obra, é intitulada "Gylfaginning" (Alucinação de Gylfi). Ela é dividida em mais de cinquenta capítulos curtos, os quais foram escritos em narração ou diálogo. Nessa parte do livro, a trama começa com o rei Gylfi (ou Gangleri) viajando pela Suécia, onde se depara com um salão misterioso no qual vivem três reis que dizem se chamar Alto, Mais Alto e Terceiro, tidos como sábios e conhecedores dos mitos antigos. Então Gylfi começa a fazer uma série de perguntas às quais cada rei vai respondendo ao longo dos capítulos.

Por ser um rei curioso, Gylfi pergunta sobre a origem do Universo, dos gigantes, dos deuses e quem eram eles (sobre isso, Snorri listou seus nomes, comentando um pouco sobre cada um), dos anões e da humanidade. Gylfi também pergunta sobre a ponte Bifrost, a árvore colossal Yggdrasil, Valhalla, a fonte de Mimir, as deusas do destino, as valquírias e outros assuntos. Entretanto, os últimos capítulos deixam de ser meras descrições ou respostas curta às perguntas de Gylfi e passam a ser histórias mais longas de como ocorreu a construção das muralhas de Asgard, a viagem de Thor e Loki à terra dos gigantes, a morte de Balder, o castigo de Loki e o próprio *Ragnarök*. Por fim, o rei Gylfi sai do salão, que misteriosamente desaparece, por isso o título "Alucinação".

A terceira parte da *Edda em prosa* é chamada de "Skáldskaparmál" (Linguagem da poesia), a qual tem um caráter didático, pois, embora Snorri ainda apresente algumas narrativas como o roubo do hidromel da poesia e até mesmo um resumo da jornada do herói Sigurd, o propósito dessa parte é apresentar os *kenningar* (no singular, *kenning*), que consistem numa figura de linguagem equivalente às nossas metonímia e metáfora, em que palavras ou frases são usadas de forma poética para dizer outra coisa. Por exemplo, falar "cavalo de madeira" para se referir a navio ou dizer que o guerreiro foi "mordido por uma cobra", para explicar que ele foi espetado por uma lança. Mas alguns *kenningar* advinham diretamente da mitologia como o ouro da serpente (referência ao tesouro do dragão Fafnir), dourado como os cabelos de Sif (referência a ela ter cabelos de ouro).

Por outro lado, alguns *kenningar* eram mais difíceis de se associar, então Snorri escreveu dezenas deles explicando alguns também; essas explicações são apresentadas na quarta e última parte da *Edda em prosa*, chamada de "Háttatal" (Contagem métrica), que consiste numa série de explicações e exemplos dados por Snorri de como fazer poesia usando os mitos e os *kenningar*. Em muitas traduções do livro completo, a parte "Háttatal" não costuma ser traduzida, por ser uma seção complicada e pouco atrativa para o público geral.

Por tais características, fica clara a função da *Edda em prosa* como um manual de mitologia, mas também de poesia, pois ela explica o uso de figuras de linguagem, assim como ensina a compor versos com métrica e rimas.

POESIA ESCÁLDICA

O terceiro grupo de fontes refere-se aos poemas escritos pelos escaldos (*skáld*), palavra em nórdico antigo para se referir a poeta e contador de histórias. Esses homens podiam declamar, cantar e até encenar as narrativas. Havia escaldos amadores e profissionais, sendo estes os que se dedicavam à arte da poesia, trabalhando em salões ou cortes reais, contratados por senhores e nobres para proporcionar entretenimento, promover suas pessoas e governos ou até mesmo destratar inimizades e inimigos.

A poesia escáldica data diretamente da Era Viking, tendo se desenvolvido entre os séculos VIII e XI, fazendo uso de metáforas, rimas, sinônimos poéticos (*heiti*) e *kenningar* para compor homenagens (aos vivos ou mortos), cantar façanhas e narrar acontecimentos atuais ou passados, mitos, aventuras, dramas, romances, comédias, insultos etc.

Minstrel singing of the famous deads of heroes.
Joseph Ratcliffe Skelton, c. 1910.

Para o interesse mitológico, é preciso salientar que nem todo poema escáldico fazia referência aos mitos, já que, diferentemente dos poemas éddicos, que têm essa característica, a poesia escáldica tem mais abrangência de temas. Mas, quanto a exemplos de poemas escáldicos com teor mitológico, citamos alguns:

⚜ **Thorsdrápa** (Poema a Thor): composto por Eilífr Goðrúnarson no século IX, apresenta elogios ao deus Thor e faz menção a algumas de suas aventuras.

⚜ **Ragnarsdrápa** (Poema a Ragnar): supostamente composto por Bragi Brodasson no século IX, este poema faz menção a quatro mitos, citando Hamdir, o filho de Gudrun; o confronto entre Heðinn e Hogni (citado em outras fontes também); a pescaria de Jormungand; e a viagem de Gefjon até o sul da Suécia.

⚜ **Húsdrápa** (Poema a casa): supostamente composto por Úlfr Ugasson no século IX, hoje em dia apenas alguns versos deste poema são conhecidos, os que foram citados na *Edda em prosa* e em algumas sagas, já que o restante se perdeu. Os versos falam da pescaria de Jormungand (tema bastante popular na poesia), do funeral de Balder e do colar Brísingamen da deusa Freyja.

🜨 **Haustlong** (Longo outono): poema creditado a Thjódólf de Hvinir, escrito possivelmente no começo do século X. Hoje em dia, apenas algumas estrofes desse texto são conhecidas; elas são preservadas em outras fontes e falam sobre o rapto de Iduna, planejado por Loki e Tjalzi, e o confronto de Thor contra o gigante Hrungnir.

🜨 **Ynglingatal** (Lista dos Ynglingos): creditado a Thjódólf de Hvinir e escrito provavelmente no século X, este é um poema genealógico que apresenta a origem dos Ynglingos, uma família lendária de reis e senhores que governaram terras na Suécia e Noruega, cujos membros descenderiam do deus Freyr. O poema é transcrito na "Saga dos Ynglingos" e mencionado em outras fontes também.

Mesmo escassos se comparados aos poemas éddicos, os poemas escáldicos com teor mitológico são uma importante fonte para se conhecer alguns mitos, percebendo que narrativas apresentadas nas *Eddas* e em sagas, cujos textos foram redigidos no século XIII e XIV, remontam a narrativas já declamadas ou cantadas nos séculos IX e X e aparentam ser bem mais antigas do que se supunha, além de evidenciarem a continuidade de uma tradição oral. Isso é bastante significativo como evidência de contra-argumento aos literatos e tradutores que defendem que os mitos narrados nas *Eddas* em sagas teriam sido "inventados" pelos poetas e escritores nos séculos XII e XIII.

SAGAS ISLANDESAS

Atualmente, a palavra "saga" tem vários significados, podendo se referir a uma narrativa épica, grande aventura, jornada difícil, atribulações diárias e até memo a séries literárias e cinematográficas. No entanto, na Idade Média, a palavra tinha outros sentidos, sendo inclusive um termo originado do nórdico antigo.

"Saga" advém do verbo *segja*, traduzido como "contar" ou "recontar"; entretanto, o termo era utilizado para se referir a um tipo específico de narrativa em prosa, que poderia em alguns casos apresentar poemas ou canções. Elas foram redigidas em nórdico antigo, islandês medieval e latim, entre os séculos XII e XIV, sobretudo na Islândia, e por isso são chamadas de sagas islandesas, apesar de haver narrativas que se passam na Noruega, Dinamarca, Suécia e outros lugares.

A escrita das sagas é simples, direta e geralmente narrada em terceira pessoa, embora algumas apresentem diálogos ou comentários em primeira pessoa. Elas não costumam apresentar detalhes sobre personagens, cenários ou acontecimentos, exceto quando se trata de questões genealógicas ou de vingança; essas narrativas versam sobre histórias reais e ficcionais.

No século XIX, o literato, tradutor e arqueólogo Finnur Magnússon (1781-1847), o historiador e tradutor Carl Christian Rafn (1795-1864) e o filólogo Rasmus Rask (1787-1832) fundaram a Sociedade Real de Escritos do Nórdico Antigo (*Det Kongelige nordiske Oldskriftselskab*), em que uma série de estudos filológicos, gramaticais, literários, tradutórios etc. foram produzidos, inclusive a classificação temática das sagas, dividindo-as em seis gêneros. Tal classificação é utilizada até hoje. A seguir, apresentamos o resumo dela.

Snorri Sturluson, de *Heimskringla*.
Christian Krogh, 1899.

As *Konungasögur* (Sagas de reis): são narrativas sobre reis fictícios e históricos que reinaram entre os séculos I e XIII, apresentando informações históricas e romanceadas sobre seus reinados e façanhas. Alguns exemplos são Heimskringla (Ciclo do Mundo), uma coletânea de sagas sobre os reis noruegueses, sendo sua autoria atribuída a Snorri Sturluson, e "Knýtlinga saga" (Saga dos descendentes de Canuto), a história de reis dinamarqueses. Esse tipo de saga foi popular porque servia de propaganda política para as casas reais, já que a Dinamarca, Noruega e Suécia até hoje são países monárquicos.

As *Íslendingasögur* (Sagas dos islandeses): referidas por alguns autores como "sagas de família", são narrativas que abordam acontecimentos e personagens reais, embora algumas tenham um tom mais dramático, romanceado e aventureiro. Algumas delas tratam das viagens realizadas por tais personagens, conflitos de família, disputas legais, vinganças e o processo de colonização da Islândia, da Groenlândia e de Vinland, abordando tramas ocorridas entre os séculos X e XI. Entre alguns exemplos famosos, estão a "Saga de Njal, o Queimado", a "Saga de Erik, o Vermelho", a "Saga dos groenlandeses" e a "Saga do Vale do Salmão".

As *Samtíñarsögur* (Sagas contemporâneas): consistem num gênero histórico, por relatarem acontecimentos ocorridos principalmente entre 1250 e 1300, época em que foram redigidas. Estas sagas relatavam problemas familiares, legais e políticos daquele período, por isso o termo "contemporâneo". Muitas dessas narrativas foram reunidas numa coletânea intitulada Sturlunga Saga, com base no nome da família Sturlun, que tinha como um dos membros o ilustre Snorri Sturlusson.

As *Biskupasögur* (Sagas dos bispos): são um gênero curioso que versa sobre vários bispos islandeses entre os séculos XII e XIV. São narrativas sobre a vida desses homens, seus mandatos e, em alguns casos, supostos milagres por eles operados. A "Jóns saga helga" (Saga do Santo Jón) é um exemplo famoso desse gênero, pois o bispo Jón Ögmundsson (1052–1121) é considerado um santo popular, embora oficialmente não seja canonizado pela Igreja Católica.

As *Riddarasögur* (Sagas de cavalaria): são outro gênero interessante, pois consistem em narrativas inspiradas em histórias de cavalaria de origem francesa, alemã, inglesa e italiana. Algumas dessas sagas são traduções da literatura desses idiomas, como a "Saga de Mirman" (história sobre um cavaleiro que é amaldiçoado e viaja até à Itália para encontrar uma feiticeira), a "Saga de Alexandre" (inspirada de forma fictícia na vida de Alexandre, o Grande, representando-o como um cavaleiro medieval) e a "Saga de Percival" (uma tradução de poemas franceses sobre o cavaleiro Percival em busca do Santo Graal).

Por fim, o último gênero literário em que as sagas islandesas estão divididas é o que nos interessa para o presente livro. As chamadas *Fornaldarsögur* (Sagas lendárias), também nomeadas de "sagas antigas", "sagas dos tempos antigos" ou "sagas dos heróis". Elas consistem em narrativas sobre heróis e guerreiros e podem conter elementos mitológicos, fantásticos ou sobrenaturais. De acordo com o catálogo da Sociedade Real de Escritos do Nórdico Antigo, quarenta sagas lendárias são reconhecidas. Por serem muitas narrativas, a seguir listamos algumas das mais conhecidas.

🜨 **Volsunga saga** (Saga dos Volsungos): é considerada a mais famosa das sagas lendárias, na qual são apresentadas diferentes gerações da família dos Volsungos, embora grande parte da narrativa foque em seu membro mais famoso, Sigurd, que matou o dragão Fafnir e libertou a valquíria Brunilda de seu sono imposto por Odin como punição. Nesta saga, temos aventura, violência, magia, amor, ciúmes e traição. A história de Sigurd inspirou o poema alemão "A canção dos Nibelungos" e a ópera *O anel dos Nibelungos*, de Richard Wagner.

⚜ **Ragnars saga loðbrókar** (Saga de Ragnar Lothbrok): consiste em uma das versões sobre esse lendário rei viking, que vivenciou diversas aventuras. Nesta saga, acompanhamos a trajetória de Ragnar desde quando se torna rei até sua morte na Inglaterra, atirado num poço de cobras. Alguns elementos dessa saga foram adaptados para a série *Vikings*.

⚜ **Hervarar saga ok Heiðreks** (Saga de Hervör e Heidrek): esta trama, uma das poucas sagas com uma protagonista feminina, apresenta distintos personagens e começa com uma espada amaldiçoada chamada Tyrfing, forjada pelos anões para o rei Svafrlami, que a perdeu para o berserker Arngrim de Bolmsö. Vários anos depois, a neta dele, Hervör, decide se tornar uma guerreira e vai atrás dessa arma, iniciando a jornada posteriormente continuada por seu filho, Heidrek.

⚜ **Egils saga Skalla-Grímssonar** (Saga de Egil Skallagrimsson): uma das mais extensas sagas, na qual acompanhamos vários momentos da vida de Egil, um viking que, posteriormente, acabou tornando-se fazendeiro e poeta (escaldo). A história se passa na Noruega e Islândia do século IX e contém referências a acontecimentos e pessoas reais.

⚜ **Örvar-Oddr saga** (Saga do arqueiro Odd): nesta narrativa, acompanhamos a aventura de Odd, que, quando criança, recebeu a profecia de que seria morto por seu cavalo. O arqueiro então mata o animal e o enterra numa cova profunda. Antes de partir em viagem, ele recebe três flechas mágicas de seu pai, as quais jamais erravam o alvo, e voltavam para sua mão. Durante suas andanças, o rapaz lutou em várias batalhas pela Suécia, Finlândia e outras localidades. Curiosamente, Odd aparece na "Saga de Hervör e Heidrik", pois lutou contra o pai da protagonista.

⚜ **Yngvars saga víðförla** (Saga de Yngvar, o Viajado): tem como base uma expedição real que teria ocorrido no século XI, com partida na Suécia rumo ao mar Negro, no leste europeu; Yngvar e seus homens embarcaram no intuito de conseguir riquezas nas terras muçulmanas. Trata-se de uma narrativa fantasiosa, pois Yngvar e seus homens enfrentam gigantes e dragões durante a longa viagem.

⚜ **Friðþjófs saga hins frœkna** (Saga de Frithiof): apresenta a dramática vida de Frithiof, um valoroso guerreiro que se torna viking e jura se casar com a princesa Ingeborg; todavia, os irmãos dela enganam o herói e o enviam para campanhas na Escócia e Irlanda, e acabam destruindo a fazenda dele e arranjando outro casamento para Ingeborg. Ao retornar para a Noruega, Frhithiof decide buscar vingança e se casar com a princesa. A trama se tornou bastante popular no século XIX na Suécia, Inglaterra, Alemanha e outros países.

⚔ **Gríms saga loðinkinna** (Saga de Grim Bochechas Peludas): nesta história, o herói Grim confronta alguns trolls que o ameaçam – bem como sua tripulação – numa baía distante no norte do mundo.

Embora existam esses vários tipos de sagas, a maioria não aborda elementos mitológicos, estando essa característica principalmente presente nas sagas lendárias. Ainda assim, salientamos que, nessas histórias, o foco não está nos deuses, gigantes e anões, mas nos personagens humanos, embora apareçam dragões, gigantes e trolls em algumas dessas narrativas. Além disso, há menções a Odin, Thor, Freyr, Balder, Frigga, Freyja.

Outros autores também sugerem classificações alternativas para as sagas, falando em "Sagas dos poetas", como a "Saga de Gunnlaug Língua de Serpente" e a "Saga de Egil Skallagrimsson", em que os protagonistas foram poetas e guerreiros. Outra classificação é a chamada "Sagas dos bandidos", como a "Saga de Grettir, o Forte", que, além de guerreiro, fez papel de criminoso em alguns momentos.

GESTA DANORUM

O título *Gesta Danorum* é traduzido como Feitos dos daneses ou História dos daneses, sendo o termo "daneses" uma palavra antiga para se referir aos dinamarqueses. O livro consiste numa crônica histórica escrita pelo clérigo dinamarquês Saxão Gramático (c. 1150–c.1220) entre 1188 e 1206. Seu nome é desconhecido, pois ele utilizou um pseudônimo para assinar sua longa crônica formada por dezesseis livros. Uma das hipóteses mais aceitas é que Saxão possa ter sido um dos secretários do arcebispo Absalão de Lund, homem influente na época por ser cunhado do rei Valdemar I e tio do rei Canuto VI, condição essa que fez com que Saxão criasse uma dedicatória também ao rei Canuto.

Saxo Grammaticus.
Louis Moe, 1898.

Na obra, o objetivo de Saxão Gramático foi contar a história da Dinamarca desde os tempos pagãos até sua época. Sendo assim, o livro mescla fatos históricos com mitos e lendas, consistindo numa crônica histórica. Por isso, nem todas as obras trazem narrativas mitológicas ou lendárias, mas, aos interessados em mitologia nórdica, os seguintes livros apresentam alguns mitos, mesmo que em versões alternativas, como se pode conferir na lista a seguir.

Livro III: narra o conflito entre Balderus e Hotherus pela disputa de Nanna; trata-se de uma adaptação do mito de Balder. O livro também aborda o reinado do rei Rorik e de seu filho Amleth, o qual inspirou William Shakespeare a escrever sua *Tragédia de Hamleth*.

Livro V: apresenta a história dos meios-irmãos Erik e Roller, que tomaram uma sopa mágica misturada com sangue de cobras; a consequência foi Erik ter desenvolvido dons, o que despertou inveja em Roller.

Livro VI: narra as várias façanhas do herói Starkad, o Alto, um poderoso, bravo e arrogante guerreiro viking.

Livro VIII: narra vários acontecimentos, mas aqui destacamos a viagem de Thorkil por terras desconhecidas no Norte, o qual encontra o gigante Utgard-Loki. Nesse livro também é narrada a morte de Starkad.

Livro IX: narra uma das versões da história do rei Ragnar Lothbrok. Aqui é apresentada a donzela de escudo Lagertha e o motivo de Ragnar ter recebido o pseudônimo *lothbrok* (calças peludas).

FONTES ICONOGRÁFICAS

Não foram apenas os gregos, romanos, egípcios, sumérios, indianos, chineses, japoneses, astecas e maias que representaram seus deuses e alguns mitos; os nórdicos também o fizeram, só que em escala bem menor. Na Escandinávia, existem milhares de fontes iconográficas, todavia apenas uma pequena fração desse material possui referenciais mitológicos. Dentre essas fontes, temos pedras gravadas, pedras rúnicas, cruzes de pedra, tampas de túmulos, painéis de madeira em igrejas, além de tapeçarias, adornos em portas, placas decorativas, *hogbacks*, gravuras em pedras, pias batismais e até mesmo menções a pinturas, estatuetas e escudos pintados, fontes essas perdidas. No entanto, para este estudo, optamos por focar nas fontes mais conhecidas e fáceis de serem acessadas pela internet.

O primeiro grupo de fontes são as pedras gravadas, centenas de monumentos erguidos na ilha de Gotland, na Suécia, entre os séculos IV e XII, sendo que a maioria não apresenta nenhum tipo de inscrição, apenas imagens e motivos decorativos. O formato e tamanho desses monumentos variou ao longo do tempo, adotando diferentes estilos. As pedras gravadas teriam uma função memorialista de honrar indivíduos vivos ou mortos, provavelmente pessoas abastadas, para poderem financiar esses monumentos.

A maioria das imagens apresenta pessoas, animais, cenas de batalhas, reuniões, sacrifícios, ritos, trabalhos do cotidiano, mas há casos que fazem referência a personagens mitológicos. A falta de inscrições dificulta as interpretações sobre que cenas e personagens seriam esses, principalmente em monumentos que contêm conjuntos de cenas que indicam se tratar de diferentes momentos de uma narrativa, ou que poderiam ser alusões a histórias independentes, as quais foram reunidas ali. No entanto, vejamos alguns exemplos de referências mitológicas contidas nas pedras gravadas.

Na Stora Hammars I, há uma cena central que retrata uma mulher segurando uma tocha em meio a dois exércitos. Os estudiosos veem isso como uma possível referência à Batalha Eterna, narrada nos poemas "Hjaðningavíg" e "Ragnarsdrápa" e na *Gesta Danorum*. Na Stora Hammars III, há uma possível representação de Odin transformado em águia enquanto rouba o hidromel da poesia, e sendo observado por Gunnlöd e seu pai, Suttung. Na pedra de Tjängvide, há uma cena clássica que inclusive estampa capas de livros, na qual vemos possivelmente Odin montando seu cavalo Sleipnir e sendo recebido por uma valquíria que segura um corno de bebida; acima dela, poderia ser uma representação de Valhalla. A Ardre VIII também apresenta uma cena similar à vista na Tjängivde. Na pedra de Hunninge I, há uma pequena cena que pode ser uma representação de Gudrun chorando pelo seu irmão, o rei Gunnar, morto num poço de cobras.

Detalhe de Odin em sua caçada de águia, Gunnlöð segurando o hidromel da poesia e Suttungr, na pedra *Stora Hammars III*.

O segundo tipo de fonte iconográfica que mencionaremos são as pedras rúnicas, feitas entre os séculos V e XII — mais de três mil delas catalogadas —, com a maior parte tendo sido esculpida no século XI em território sueco. Esses monumentos recebem o termo rúnico por conterem inscrições no alfabeto rúnico do Futhark antigo (século V a IX) e do Futhark recente (século X a XII). Tais monumentos foram erguidos na Suécia, Dinamarca, Noruega, Inglaterra, Ilha de Man e no nordeste europeu; eles teriam uma função memorialista para homenagear pessoas vivas, mas principalmente pessoas mortas, pois a maioria das pedras rúnicas do século XI faz referências póstumas.

As pedras rúnicas dos séculos V ao X não costumam ter imagens; somente nos séculos XI e XII é que a presença destas se tornou comum, apesar do amplo uso de serpentes e motivos ornamentais. Por isso, a presença de elementos mitológicos nesses monumentos é escassa, e a maioria se refere ao mito de Sigurd, com as chamadas Pedras de Sigurd, nome dado a um conjunto de oito pedras rúnicas do século XI encontradas na Suécia: Gs 2, Gs 9, Gs 19, Sö 40, Sö 101, Sö 327, U 1163 e U 1175, as quais em geral apresentam Sigurd apunhalando Fafnir. Desses monumentos, dois deles, a Sö 101 e a Sö 327, trazem cenas mais ricas, contendo outros elementos referentes a esse mito.

Quanto à pedra rúnica U 1161, também chamada de Pedra de Altuna, apresenta a imagem de Thor pescando Jormungand. Já a pedra DR 284 representa possivelmente a giganta Hyrrokin, citada na *Edda em prosa*, como tendo sido responsável por empurrar o navio de Balder, usado para se cremar o deus. A giganta é descrita como tendo aparência apavorante, montando um lobo e usando serpentes como rédeas; ela seria inclusive mais forte do que o próprio Thor.

Deixando a área sueca onde se encontra a maioria das representações iconográficas sobre mitos nas pedras gravadas e pedras rúnicas, passemos para a Inglaterra, a fim de conhecer outros conjuntos de fontes. A cruz de Gosforth 05 é famosa por suas gravuras talhadas, representando imagens mitológicas. Essa alta e fina cruz tem representações nos quatro lados que sugerem ser Vidar cortando a garganta de Fenrir e Loki sendo castigado com uma serpente. Outra imagem representa Jesus Cristo crucificado, porém os cavaleiros e guerreiros que aparecem nessa cruz não são claramente identificados. Por se tratar de um monumento fruto do período hiberno-nórdico, ocorrido entre os séculos IX e X, a cruz de Gosforth apresenta elementos pagãos e cristãos.

Outra cruz com elementos mitológicos é a Cruz de Thorwald (Andreas 128), situada na Ilha de Man, monumento do qual apenas fragmentos restaram. Em um deles, observa-se um homem tendo sua perna mordida por um lobo; tal imagem costuma ser interpretada como uma referência do ataque de Fenrir a Odin. Já a Cruz de Great Clifton 1A apresenta um homem em meio a serpentes e com as mãos atadas nas costas, o que poderia ser uma referência à punição de Loki. A Cruz de Malew mostra Sigurd matando Fafnir e uma possível representação da Yggdrasil.

Uma parte da Cruz de Thorwald (à esquerda), parte sobrevivente da pedra rúnica erguida em Kirk Andreas, na Ilha de Man.

Na Cruz de Halton, temos a forja de Regin e Sigurd olhando para os pássaros. Depois temos um fragmento de tampa, a Kirby Hill 2, possivelmente mostrando Sigurd tendo matado Regin após descobrir sua traição. O terceiro exemplo é a tampa York Minster 34, com Sigurd confrontando duas serpentes (referências a Fafnir) e um homem morto aos seus pés, talvez Regin.

Outro exemplo iconográfico está presente na Igreja de Hyllestad, na Noruega, em cujas portas, datadas do século XII, temos uma composição com várias cenas que abordam momentos do mito de Sigurd, especialmente sua conversa com Regin, a morte de Fafnir, a obtenção dos poderes ao consumir o sangue e coração do dragão, e a morte de Regin.

Observa-se pelas fontes apresentadas que a maioria se refere ao mito de Sigurd, narrativa bastante popular na Era Viking, por isso há distintas versões sobre ela e várias referências iconográficas. Depois disso, temos representações associadas a Odin e Thor, Fenrir e Jormungand. Dessa forma, a iconografia escandinava, se comparada às fontes escritas, ppoucas informações nos fornece sobre a diversidade de mitos e personagens presentes na mitologia nórdica.

Mitos Selecionados

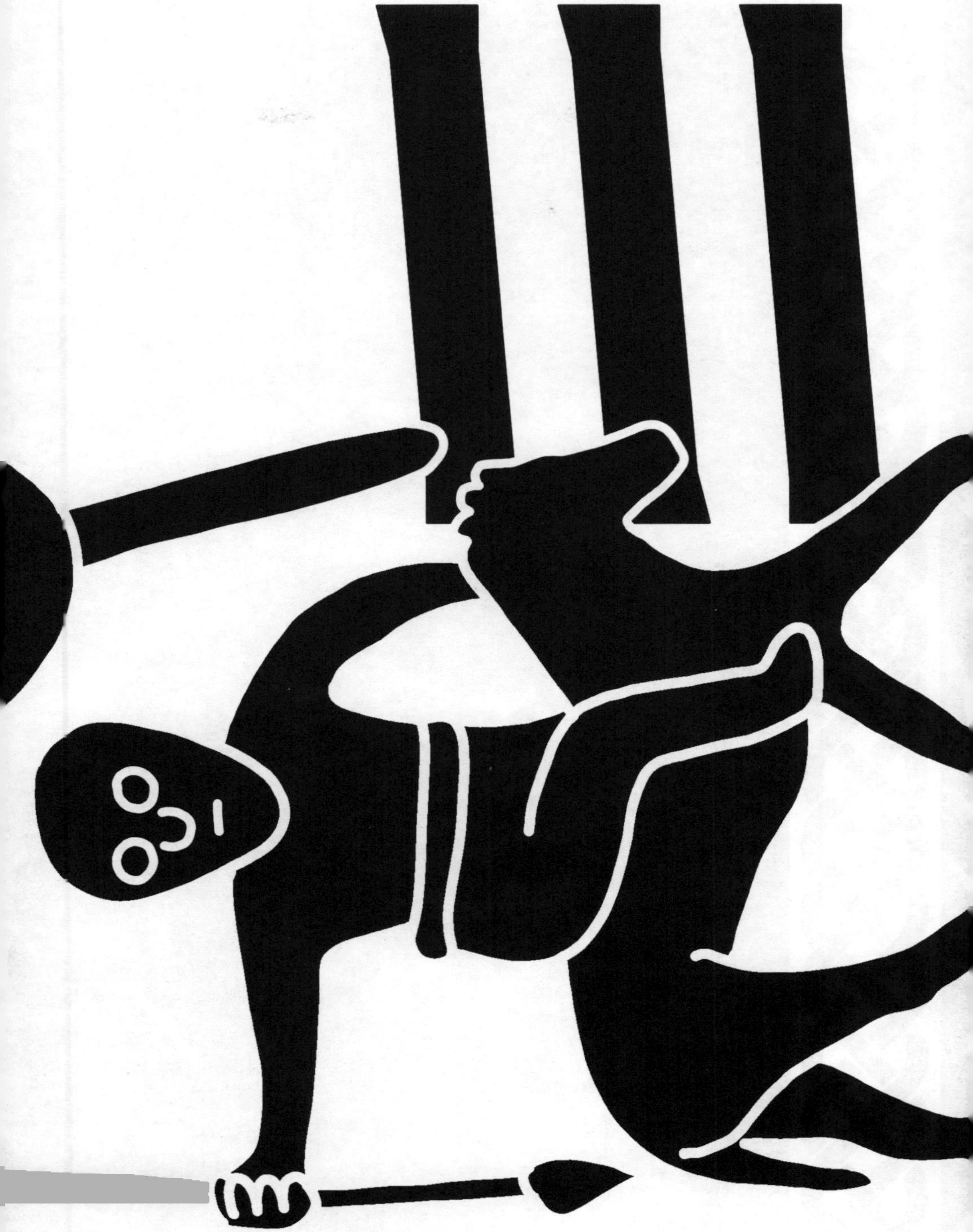

Reprodução em madeira da estátua de Eyrarland (National Museum of Iceland), retratando o deus nórdico Thor. Em exibição no Swedish Army Museum.

A ORIGEM DAS TRÊS CLASSES

Este mito é narrado no poema "Rigstula" (Lei de Rig) da *Edda poética*, o qual narra uma viagem realizada pelo deus Heimdall (chamado aqui de Rig). A versão a seguir adaptou o poema para a prosa.

Rig na casa do bisavô. W. G. Collingwood, 1908.

Durante a viagem, ele visitou três casas. A primeira pertencia a dois idosos, os quais eram chamados de Edda (Bisavô e Bisavó)[2]. O casal não tinha filhos ou

---
[2] A palavra *"edda"* também pode significar bisavô e bisavó. Na Era Viking, uma pessoa de 50 anos já poderia ter esse título.

outros familiares vivendo consigo. Nessa primeira casa, descrita como humilde, pois os donos eram pobres e velhos camponeses, Heimdall lhes deu conselhos por três dias e três noites. Nove meses depois, o casal ganhou sua primeira criança, um menino chamado Thrall (Escravo), de aparência fraca e abatida.

Os anos se passaram, e Thrall cresceu e virou um homem forte e trabalhador, apesar de um aspecto abatido devido ao trabalho pesado. Em certa ocasião, ele conheceu uma mulher igual a ele chamada Thrall (Escrava), com a qual se casou e constituiu família, com dezesseis filhos. Os homens se chamavam Hreim (Gritador), Fiósnir (Cavalariço), Klur (Matuto), Klegg (Mutuca[3]), Drumb (Idiota), Lut (Encurvado), Drott (Preguiçoso) e Fúlnir (Reclamador); as mulheres se chamavam Drumba (Idiota), Kumba (Atarracada), Okkvinkalfa (Panturrilhas Grossas), Arinnefia (Nariguda), Ysia (Gritadora), Ámbat (Serva), Tottughypia (Esfarrapada) e Tronumbeina (Pernas Tortas). Os dezesseis filhos cuidavam do trabalho pesado: aravam a terra, cortavam a grama, cuidavam de porcos e cabras etc. Seus descendentes originaram os escravos.

O mito prossegue com Heimdall viajando por campos até chegar a uma segunda residência, maior do que a anterior, já contendo alguma mobília, cujos donos se vestiam melhor e não eram pobres. Lá vivia um casal chamado Afi (Avô) e Amma (Avó). Os dois receberam bem o deus, que novamente passou três noites lhes dando conselhos. O casal também não tinha filhos, mas nove meses depois Afi deu à luz um menino ruivo de pele rosada chamado Karl (Homem). Ele cresceu com saúde e herdou as habilidades artesãs de seu pai, e assim passou a fabricar ferramentas e cercas, construir casas e cultivar a terra.

Já adulto, Karl se casou com uma mulher chamada Snor (Nora), com quem teve vinte e um filhos, os quais originaram os homens livres, que se ocupavam de distintas atividades. Alguns dos filhos se chamavam Hal (Homem), Dreng (Jovem de Proveito), Hauld (Dono de Herança), Tegn (Homem Livre), Smid (Ferreiro), Breid (Largo) e Bondi (Fazendeiro); algumas das filhas se chamavam Snot (Noiva), Brud (Moça), Svinna (Bela Dama), Svarri (Donzela) e Sprakki (Delicada).

Heimdall então continuou sua viagem e chegou a uma terceira casa, bem maior do que as anteriores. A residência tinha mais móveis, e os donos, chamados de Foðer (Pai) e Moðer (Mãe), usavam roupas melhores (a mulher exibia broches e joias). O deus aconselhou o casal e passou três noites lá, indo embora em seguida. Nove meses depois, Moðer deu à luz um menino

---

[3] Klegg, no original, é um termo popular para se referir a moscas que incomodam os cavalos; em português usamos o termo "mutuca".

chamado Jarl (Governante), o qual era louro, tinha pele clara e olhos intimidadores como os de uma serpente.

Jarl vivia num salão, era caçador, guerreiro, forte e bravo. Seus feitos e conquistas se espalharam, e ele passou a ganhar homenagens e tributos. Jarl se casou com Erna (A Eficiente), filha de um senhor chamado Hérsir (Governante). Jarl e Erna tiveram doze filhos, os quais foram homens valorosos, guerreiros e caçadores, que realizaram façanhas que os tornaram dignos. Eles se chamavam Bur (Garoto), Bairn (Criança), Jód (Filho), Adal (Alta Estirpe), Arfi (Herdeiro), Mog (Descendente), Nid (Parente), Nidiung (Familiar), Son (Filho), Sveinn (Rapaz), Kund (Parente Próximo) e Kon (Parente nobre). Os filhos de Jarl deram origem aos senhores e grandes guerreiros.

Dessa forma, o mito da origem das três classes chega ao fim de forma que podemos chamar de didática, pois ele conta como teriam surgido as divisões sociais da época, em que os escravos provinham de uma família pobre, os homens livres, de uma família de agricultores e artesãos, e os homens ricos, de uma família de governantes e guerreiros.

O GALANTEIO DE ALVIS

Thor conversa com o anão Alvis enquanto protege sua filha. W. G. Collingwood, 1908.

Este mito é narrado no poema "Alvíssmál" na *Edda poética*, consistindo num diálogo entre Thor e o anão Alvis a respeito de metáforas da natureza, o que revela todo engenho poético. A presente adaptação acrescentou alguns detalhes à narrativa e reescreveu alguns diálogos para deixá-la mais coerente, assim como suprimiu as partes repetidas e rimadas.

Era noite quando Thor retornara de viagem. Chegou ao seu salão, Bilskirnir, e, enquanto percorria o jardim, ouviu alguns risinhos. Intrigado com aquilo, foi ver quem era e se deparou com a filha Thrud sentada numa rocha e acompanhada de um anão que segurava sua mão ao lhe declamar uma poesia. Ele então disse:

— Case-se comigo e cobrirei os bancos[4]. Corra agora, noiva. Seja rápida para que nos casemos.

Thor se aproximou sem ser visto e disse em sua voz grave:

— Quem é você de pálida testa? Passou a noite entre os mortos? O que um anão faz aqui? Minha filha não é mulher para você!

Thrud e Alvis ficaram surpresos com a repentina chegada de Thor. A moça ficou com a face ruborizada, mas Alvis não se deixou intimidar pelo imponente deus ruivo próximo a ele.

— Eu me chamo Alvis, aquele que vive debaixo da terra. Subi à superfície para encontrar uma noiva. E aqui estou a galanteá-la.

---

[4] Durante festejos e cerimônias, era um costume nórdico cobrir os bancos da casa ou do salão com palha, mantas ou peles para se tornarem mais aconchegantes e arrumados para a ocasião.

Irritado, Thor respondeu:

— Sou eu quem manda nela. Quando eu parti, ela não estava noiva e assim permanecerá, solteira, como a deixei.

— Quem é você para dizer que manda nela?

O deus do trovão se irritou ainda mais com a pergunta.

— Por acaso não reconhece Vingthor[5], o muito viajado, o deus do trovão, o filho de Odin?! Como pai de Thrud, não autorizo o noivado dela com você, anão.

Espantado com aquilo, Alvis adotou um tom apaziguador.

— Perdão por não o reconhecer, portentoso Thor. Muito ouvi falar sobre seu nome e façanhas. Peço sua permissão para me casar com sua adorável filha, de pele branca como a neve.

Thor ficou pensativo, então respondeu:

— Somente concederei a mão de minha filha em casamento se você, Alvis, responder a todas as minhas perguntas.

Alvis então estufou o peito e disse em tom petulante:

— Sou conhecido por ser um dos mais espertos anões. Faça-me suas perguntas, deus do trovão, que lhe darei as respostas.

— Então comecemos nossa disputa. Como se chama o mundo em que vivem os homens?

— Midgard é o nome, mas os Ases o conhecem como campo; os Vanes o chamam de caminho; os gigantes o nomeiam terras verdejantes; os elfos se referem a ele como campos floridos. Qual é a próxima pergunta?

— Diga-me, Alvis, qual nome se dá à vastidão celeste que nunca se acaba?

— Ora, essa é fácil. Os homens o chamam simplesmente de céu; os Ases se referem a ele como as alturas; para os Vanes, ele é o tecelão dos ventos; os gigantes o nomeiam topo do mundo; os elfos o chamam de bom telhado; por fim, os anões se referem a ele como salão que goteja[6]. E a próxima pergunta?

— Certo, começou bem. Mas quais são os nomes da Lua?

— Mani (deus da lua) é como os homens a chamam; os Ases a nomeiam de a luminosa; em Helheim, ela é conhecida como a roda; os gigantes se referem a ela como a passageira[7]; os anões a chamam de a brilhosa; já os elfos a nomeiam de contadora de anos[8].

— Já que acertou o nome da Lua, agora me diga quais são os nomes do Sol.

---

[5] Um outro epíteto dele, significa "Thor, o Consagrado".
[5] Uma metáfora para chuva.
[7] Referência ao ciclo da lua.
[3] Uma referência ao calendário lunar.

— Sól (deusa do sol) é como os homens falam; os Ases o chamam de orbe; os anões se referem a ele como o enganador de Dvalin[9]; os gigantes o nomeiam de sempre brilhante; os elfos se referem a ele como bela roda e o todo brilhante dos deuses. Qual é a próxima pergunta?

— Muito bem, Alvis do povo de Dvalin. Agora me diga quais nomes têm as nuvens.

— Nuvens é como os homens as nomeiam; os Ases se referem a elas como traz águas; os Vanes as chamam de voadoras; os gigantes as nomeiam de traz chuvas; os elfos falam que elas são as regedoras do tempo; mas, em Helheim, elas são conhecidas como o elmo que oculta[10]. Qual seria a próxima pergunta, deus do trovão?

— Está indo muito bem, Alvis. Agora me diga: Como os ventos são chamados?

— Ventos é como falam os homens; os Ases se referem a eles como os livres; os gigantes dizem que eles são os uivadores; os elfos os chamam de sopradores; mas, em Helheim, eles são conhecidos como os tempestuosos.

— Você é realmente inteligente, Alvis. Mas me diga: Como é chamada a calma no mundo?

Ele sorriu e respondeu:

— Os homens a chamam simplesmente de calma, mas os Ases se referem a ela como quietude; os Vanes a chamam de silêncio dos ventos; os gigantes se referem a ela como abafado[11]; os elfos a chamam de dia quieto; já os anões a nomeiam de dia sossegado. O que mais tem a me perguntar?

— Agora me diga os nomes pelos quais o mar é conhecido.

— Mar é como os homens o conhecem; os Ases o nomeiam de liso; os Vanes se referem a ele como as ondas; para os gigantes, ele é a casa das enguias; os elfos o chamam de o aquoso, mas, para os anões, ele é o profundo. Isso é tudo o que tem a me perguntar?

— Ainda não terminei, presunçoso anão. Agora me diga: Quais são os nomes do fogo?

— Como queira. Os homens o chamam de fogo, mas os Ases se referem a ele como chama; os Vanes o nomeiam de flamejante; os gigantes o chamam de o devorador; os anões se referem a ele como o ardente, mas, em Helheim, ele é conhecido como o vivaz. Satisfeito?

---

[9] Uma metáfora da qual se desconhece o significado. Dvalin era um anão.
[10] Uma metáfora sem significado claro, mas que poderia ser uma referência ao dia nublado.
[11] Seria uma metáfora para ausência de barulho, logo, tranquilidade.

— Ainda não. Agora me conte quais são os nomes da floresta.

— Os homens a nomeiam floresta; os Ases se referem a ela como crina do campo; em Helheim, ela é chamada de algas das colinas; os gigantes se referem a ela como a lenha; para os elfos, ela é a de bons ramos, mas os Vanes a chamam de as varas[12]. Pronto para terminar?

— Estamos quase lá — respondeu Thor após olhar para o horizonte. — Quero saber como se chama a noite.

— Noite é como os homens falam, mas os Ases dizem escuridão; os gigantes a chamam de sem luz; os elfos se referem a ela como a adormecida, mas os anões a nomeiam de senhora dos sonhos.

— Muito bem. E quanto aos grãos?

— Os homens falam grãos, mas, para os Ases, é cevada; para os Vanes, diz-se cultivo; os gigantes os chamam de comida; os elfos se referem a eles como a bebida[13], mas, em Helheim, os grãos são chamados de talos degelados[14]. Isso é tudo?

— Ainda resta uma última pergunta. Diga-me os nomes da cerveja.

— Os homens a chamam de cerveja; os Ases falam em *bjorr*[15]; para os Vanes, ela se chama a espumante; os gigantes se referem a ela como caldo brilhante; em Helheim, ela é conhecida como hidromel; para os anões, ela é o convite. Respondi a todas as suas perguntas, deus do trovão e futuro sogro, agora abençoe meu casamento com sua adorável filha.

— Estou realmente surpreso com sua proeza, anão. Mas quem é essa que lhe toca o ombro?

Alvis virou para olhar e avistou a luz do dia, então transformou-se em pedra[16]. Thrud ficou surpresa com aquilo e disse:

— Pai, o senhor trapaceou. O senhor sabia que ele viraria pedra ao amanhecer.

— Sim. Pelo visto, ele não era tão inteligente assim.

---

[12] Seria uma referência ao uso da madeira para o fabrico de varas.
[13] Uma referência à cevada, usada para se fazer cerveja.
[14] Como Helheim é um local em que sempre faz frio e neva, significa que não há lavoura.
[15] Bjorr era uma bebida fermentada e de uso sagrado utilizada em oferendas aos deuses.
[16] Em geral, transformar-se em pedra à luz do dia era uma característica dos trolls, não dos anões, mas Alvis é o único anão na mitologia nórdica a ser transformado em pedra por causa disso.

A VIAGEM DE THOR E LOKI A UTGARD

Este mito é narrado na *Edda em prosa*, no "Gylfaginning". A seguir, trazemos uma adaptação dessa narrativa, em que acrescentamos mais algumas informações, já que o original é essencialmente narrativo e contém lacunas na história.

Certa vez, Thor e Loki partiram em viagem rumo à terra dos gigantes, Jotunheim, na carroça de Thor, puxada pelos bodes Tanngrisnir e Tanngnjóstr. Ao anoitecer, decidiram parar para pernoitar, então avistaram uma casa de fazenda, situada num prado deserto, na fronteira com Jotunheim. O deus do trovão sugeriu pararem ali para poderem dormir, então os dois desceram da carroça e seguiram até a humilde residência rural. Thor bateu à porta com o pesado punho, assustando a família que ali vivia. Eles não esperavam por nenhuma visita; na verdade, viviam quase isolados naquele lugar.

O pai se levantou do banco e abriu a porta. Para sua surpresa, viu o deus do trovão, alto, robusto e com sua grossa barba ruiva. Ao lado dele estava uma figura magra e alta, de barba preta e curta. De imediato, o agricultor não reconheceu aqueles homens, mas ao ver melhor a face imponente de Thor e sua barba ruiva, ele estremeceu por um momento e deu um passo para trás. Sua esposa e os jovens filhos se levantaram e foram acudi-lo. Todos da família estavam surpresos; jamais haviam sonhado que um deus apareceria diante deles.

Thor falou que ele e Loki passariam a noite lá, e a família de agricultores se sentiu muito honrada com aquilo, uma das maiores honras que poderiam ter na vida: hospedar um deus. Pronta e alegremente eles aceitaram, mas falaram que, por serem pobres, o jantar era muito simples, apenas uma sopa rala de cebola e alguns legumes. No entanto, Thor disse que não se preocupassem, pois ele abateria seus bodes e os colocaria para cozinhar. Ele o fez magicamente, e a família pôde se esbanjar em comer carne, mas o deus do trovão foi imperativo ao dizer que nem um dos ossos poderia ser roído ou quebrado, somente a carne deveria ser consumida.

Enquanto a família comia com alegria, o filho do casal, chamado Tjalfi, acabou usando uma faca para quebrar um dos ossos da pata, no intuito de comer o tutano. Mas ele escondeu tal fato, disfarçando-o. Após o jantar, todos se retiraram para dormir. Como a casa não era grande, não havia divisões de cômodos para os quartos e a sala, logo, todos se acomodaram por ali, e os melhores bancos foram cedidos aos hóspedes e forrados com as melhores peles disponíveis.

No dia seguinte, após o desjejum, Thor e Loki decidiram partir. O deus do trovão recolheu as peles e ossos dos bodes, os levou para fora da casa e os colocou no campo. Usando seu martelo, conjurou magia para reviver os animais, porém o bode que teve um dos ossos partidos, ao retornar à vida, estava manco. Aquilo irritou Thor, que era conhecido pelo temperamento explosivo. Ele estava tão furioso que os agricultores pensaram que, apenas com seu feroz olhar, poderia matá-los; então eles começaram a chorar e gritar em desespero, ajoelhando-se diante da divindade e clamando por suas vidas.

Thor disse que a confiança dele naquela família havia sido assolada por aquela desobediência, portanto aqueles humanos deveriam ser punidos. A fim de apaziguar a ira do deus ruivo, o casal ofereceu Tjalfi e sua irmã, Roskva, como escravos. Eles eram uma família miserável; oferecer os filhos como escravos de um deus seria o melhor que poderiam conquistar na vida. Thor aceitou a oferta, reconhecendo-a como um pedido de desculpas.

O grupo seguiu viagem pelos ares, cruzando montanhas, o mar e chegando a uma grande floresta; ao anoitecer, eles pararam ali para pernoitar. Enquanto procuravam por um lugar onde passar a noite, avistaram uma cabana de caça, para a qual se dirigiram. Durante o sono, todos foram acordados com um grande tremor, parecendo um terremoto; o grupo então saiu de dentro da cabana, pois ela quase desabou. No entanto, para a surpresa deles, próximo a ela, eles avistaram a entrada de uma grande caverna, até então despercebida talvez pela escuridão. Assim, eles adentraram e ficaram ali. Temendo que o tremor pudesse ser um ataque dos gigantes, Thor se manteve vigilante pelo restante da noite.

Na manhã seguinte, um alto som, como um barulho de trovão, acordou Loki, Tjalfi e Roskva, que despertaram assustados. Eles olharam em volta procurando por Thor; estaria ele lutando contra algum gigante? No entanto, do lado de fora da caverna, avistaram o deus, que explicou não ser o responsável por aquele barulho. Não era um trovão, mas um estrondo alto. O grupo saiu para investigar e notou que o suposto trovão eram, na verdade, os roncos de um gigante, mais alto que as árvores e colinas nos arredores.

Thor desfere golpes em Skrýmir adormecido.
Friedrich Ludwig von Maydell, 1842.

Ele estava deitado com a cabeça repousada em uma das colinas, a qual lhe servia de travesseiro. Logo depois, o gigante acabou acordando. Ele se levantou e bocejou, então olhou em volta e viu Thor, Loki e os irmãos, Tjalfi e Roskva.

— Quem é você, gigante?

— Eu me chamo Skýrmir. Mas não vou lhe perguntar seu nome, pois reconheço Asa-Thor[17], o senhor do martelo e dos raios.

O deus e os demais não responderam, mas fitavam o gigante. Ao olhar em volta, Skýrmir disse:

— Vocês viram uma das minhas luvas? Acabei tirando uma delas, mas ela caiu em algum lugar desta floresta.

Enquanto ele a procurava, avistou-a próximo à cabana. Os quatro olharam o longo braço do gigante se estendendo para pegar o objeto sem nem sair do lugar. A suposta enorme caverna em que eles ficaram abrigados na noite anterior era, na verdade, a luva de Skýrimr. Todos ficaram surpresos, até mesmo Thor e Loki, que já haviam visto muita coisa na vida.

---

[17] Asa-Thor significa Thor dos Ases, um dos epítetos dado ao deus nos mitos.

— Estou de passagem por estas terras. Se quiserem, podem me acompanhar; eu conheço este lugar.

Loki se aproximou de Thor e disse:

— Podemos confiar nele?

— Não. Mas ele pode nos ser útil.

Thor e Loki concordaram em acompanhar Skýrmir. Antes de partirem, o gigante ofereceu parte de sua comida, pois havia trazido em grande quantidade. Após quebrarem o jejum, eles partiram em viagem a pé; andaram o dia inteiro, até o anoitecer. Skýrmir disse que estava cansado e não jantaria, mas falou para que os outros abrissem sua sacola de viagem e pegassem comida. Então o gigante se deitou numa colina. Thor tentou abrir a enorme sacola, mas o nó estava tão firme, feito pedra, que nem a grande força do deus foi capaz de desatá-lo. Mesmo usando seu cinto de força, Thor não conseguia romper a amarração, e isso o deixou furioso. Ele então subiu no morro que Skýrmir usava como travesseiro e lhe golpeou na cabeça.

— O que foi isso? Alguma folha caiu em minha cabeça? — disse o gigante, despertando na hora.

Thor e os demais ficaram surpresos com a reação da criatura colossal. Já acordado, Skýrmir olhou em volta e viu que sua sacola de viagem continuava fechada, da mesma forma que tinha deixado.

— Vocês ainda não jantaram. Estavam esperando por mim? Então vamos comer.

Após a refeição, todos se retiraram para dormir, mas Thor não adormeceu, pois estava confuso sobre o ocorrido. Como aquele gigante havia resistido a uma martelada sua? À meia-noite, enquanto Skýrmir roncava alto a ponto de fazer a floresta tremer, Thor subiu novamente no morro e, dessa vez, bateu com mais força; o gigante despertou novamente e falou, surpreso:

— Acho que uma bolota deve ter caído na minha testa.

Ao olhar para o lado, viu Thor paralisado, em choque.

— O que faz aqui, Asa-Thor?

— Eu acordei e vim ver como você estava, mas já estou me retirando. Ainda é meia-noite, temos mais algumas horas para dormir.

Skýrmir voltou para o sono. Thor passou as horas seguintes irritado. Loki nada disse. Perto do amanhecer, o deus tentou uma última vez. Usando toda a sua força, ele desferiu um poderoso golpe na cabeça de Skýrmir que fez o chão tremer e o impacto soar como uma trovoada. O gigante então acordou abruptamente, coçou a cabeça e disse:

— Deve ter pássaros por aqui. Algum deve ter deixado cair um galho em minha cabeça. Espero que não tenham feito necessidades também.

Ele olhou em volta e viu Thor.

— Já está acordado assim, tão cedo. Realmente parece um homem de pouco sono. Vejo que o dia raiou.

Enquanto faziam o desjejum, o gigante disse:

— Aqui perto fica a fortaleza de Utgard, comandada por Utgard-Loki, um poderoso jarl dos gigantes. Recomendo que vocês não sigam para lá.

— Por quê? — indagou Thor.

— Porque Utgard-Loki e seus guerreiros são homens poderosos e orgulhosos. Eles não tolerariam a petulância de gente pequena como vocês.

Aquilo irritou Thor, mas ele se conteve.

— Eu irei para o norte, para além daquelas montanhas que vocês podem ver. Sigam meu conselho, evitem o salão de Utgard-Loki. Lá não é lugar para gente como vocês.

Terminada a refeição, Skýrmir seguiu viagem para o norte. Porém, Thor falou para Loki e seus escravos:

— Aquele maldito acha que Thor tem medo dos gigantes? Eu já matei muitos gigantes antes mesmo de ele ter nascido. Se esse Utgard-Loki e seus homens são tão poderosos assim, eu os testarei. Mostrarei quem é o mais poderoso.

Eles viajaram até o meio-dia, quando avistaram muralhas altas como morros. Thor golpeou pesadamente o portão, mas ninguém apareceu. Então tentou abri-lo à força, mas, ainda assim, as enormes e pesadas portas de carvalho não se moveram. Roskva avistou uma brecha entre as tábuas do portão e indicou que eles poderiam passar por ali. Sentindo-se humilhado, Thor teve de recorrer àquilo. Ao entrarem, viram adiante, depois de um campo de terra, um grande salão com as portas abertas.

Ao se aproximarem da entrada, ouviam vozes e gargalhadas. Entrando no salão, avistaram colossais mesas, em cujos bancos se sentavam enormes gigantes[18], comendo e bebendo num banquete. Os quatro penetras eram como ratos esgueirando-se entre os enormes pés e migalhas de comida; eles percorreram o longo salão até chegarem diante do trono, em que se encontrava Utgard-Loki. De início, ele não reparou nos intrusos, mas depois os enxergou e gargalhou. O falatório foi encerrado, e todos os guerreiros olharam para seu senhor.

---

[18] Na mitologia nórdica os gigantes (jótnar) não necessariamente eram altos; alguns tinham o tamanho de uma pessoa comum. Porém, no mito em questão, todos os gigantes são extremamente altos.

— Ora, ora, se não é Okuthor[19] que se encontra em meu salão. O que traz o filho de Odin à minha nobre residência?

— Meus companheiros e eu estávamos de viagem por Jotunheim, então conhecemos um gigante de nome Skýrmir, o qual nos falou que em Utgard viviam poderosos gigantes. Então vim até aqui para ver com meus próprios olhos se realmente era verdade.

Utgard-Loki riu e falou:

— Estão ouvindo, meus homens? Eu não disse que éramos famosos? O deus do trovão veio em pessoa nos conhecer.

Os guerreiros brindaram àquilo.

"Eu sou o gigante Skrýmir".
Elmer Boyd Smith, 1902.

Utgard-Loki olhou para Loki e perguntou:

— Quem é você?

— Sou Loki Laufeyson.

— Loki? Já ouvi seu nome. Você pertence à minha raça, mas vive entre os Ases. O que fez para receber tamanha honraria?

Ele não respondeu. O gigante olhou para os irmãos.

— E quanto a esses humanos?

— Eles são Tjalfi e Roskva, meus criados.

Utgard-Loki bebeu um gole de vinho e, em seguida, falou:

— Não creio que tenha vindo até minha fortaleza apenas para me conhecer. O que realmente veio fazer aqui, deus do trovão?

— Vim desafiá-lo.

Utgard-Loki e seus guerreiros gargalharam.

— Estão ouvindo? Estamos sendo desafiados pelo famoso Thor!

Ouviu-se, então, uma nova leva de risadas.

— Eu proponho competirmos com alguns jogos. Vários deles. Como podemos começar? — sugeriu Utgard-Loki.

Nesse momento, Loki se pronunciou.

---

[19] Outro dos epítetos de Thor. Este, no caso, significa "Thor da carroça".

— Notei que vocês se banqueteiam fartamente, então sugiro que, como primeiro desafio, façamos uma competição de quem come mais. Eu me ofereço para ser o primeiro a disputar.

— Posso fazer isso muito bem.

— Não duvido do seu apetite, mas pode ser uma armadilha deles. Deixe que eu vá na frente. Além do mais, nem almoçamos ainda e estou morto de fome.

— Já que decidiram por uma competição de comida, que assim seja. Logi, levante-se.

Do meio do salão, levantou-se o gigante Logi, o qual andou até diante do trono. Utgard-Loki mandou esvaziarem uma mesa só para os dois competidores. Loki foi ajudado a subir na alta mesa; cada competidor estava em uma ponta, então Utgard-Loki deu ordem para começarem. Loki comeu o mais rápido que pôde, devorando carnes e ossos, porém, quando parou para olhar seu adversário, Logi havia comido não apenas a comida, mas devorado parte da mesa também. Com isso, a vitória foi dada a ele.

Os gigantes gargalhavam.

— Pelo visto, sua fome não era tão grande assim, Loki Laufeyson. Mas, vejamos, qual será a próxima competição?

Ele olhou para Thor e perguntou:

— O que sugere?

— Uma corrida. Tjalfi é um jovem muito rápido, ele tem pés ligeiros.

— Que assim seja.

Eles foram para fora, até um campo. Lá Utgard-Loki chamou uma criança gigante, um menino chamado Hugi.

— Pois bem, como ambos são jovens, é justo que os competidores tenham idades aproximadas. Hugi e Tjalfi deverão percorrer este trecho até a linha de chegada. Farão isso três vezes. Em suas marcas, comecem!

Na primeira corrida, Tjalfi abriu vantagem; corria velozmente e já avistava a linha de chegada, mas, como se fosse um vento passando, Hugi o ultrapassou e o deixou a comer poeira.

— Se quiser vencer, terá de se esforçar mais, Tjalfi — disse Utgard-Loki.

Na segunda corrida, Tjalfi conseguiu correr velozmente a distância de uma flecha, mas Hugi já havia cruzado a linha de chegada.

— O garoto até corre bem, mas não creio que seja capaz de vencer. Vamos à última corrida.

Na terceira tentativa, Tjalfi correu o mais rápido que conseguia, mas não chegou nem perto da metade da pista quando Hugi o venceu.

Tjalfi estava desmoralizado. Os gigantes gargalhavam dele.

— Então, Thor, o que propõe agora?

— Um desafio de bebida. Sou conhecido por ser o melhor bebedor entre os deuses.

— Um bom desafio.

Utgard-Loki chamou um de seus criados, o qual trouxe um corno de bebida e o entregou a Thor. O chifre não era tão comprido, mas era largo.

— Terá de beber tudo de um só gole. Alguns conseguem fazê-lo em dois goles, mas ninguém é tão mal bebedor que não consiga esvaziá-lo em três.

Thor aceitou o desafio; segurou o grande chifre de bebida e tomou vorazmente aquela cerveja. Ao olhar para o interior do chifre, viu que seu nível baixou apenas um pouco.

— Pensava que você fosse um bom bebedor. Não tomou praticamente nada.

O deus se irritou com aquilo e voltou a beber com mais força até ficar sem fôlego. Mas, ao conferir o chifre novamente, o nível de cerveja havia abaixado menos ainda.

Utgard-Loki falou, irônico:

— Quero acreditar que quis fazer suspense, que guardou a vitória para a terceira tentativa.

Irritado, Thor fez força para beber. Seu rosto ficou vermelho, e ele sorveu o chifre até onde conseguiu levantá-lo, mesmo derramando cerveja na barba. Depois de conferir o que conseguiu tomar, para seu espanto, o nível de cerveja mal havia descido. Já furioso, ele jogou o chifre no chão.

— Pelo visto, não é tão grandioso assim. Passemos para o próximo desafio. Você é conhecido como um deus de força, então façamos um teste de força.

Thor esperava que tivesse de levantar árvores ou rochas, ou competir com algum gigante.

— Aqui no meu salão as crianças costumam brincar de tentar levantar meu gato. Ele é muito pesado.

Utgard-Loki chamou seu grande gato cinzento. Thor achou que aquilo fosse uma piada e, por um momento, relutou em aceitar aquele desafio.

— Não seja orgulhoso, Asa-Thor. Tem medo de perder para um gato?

Thor bufou e se dirigiu ao animal. Ele o pegou pela barriga e começou a levantá-lo, mas era pesado como uma montanha. Thor fez grande esforço, mas o máximo que conseguiu foi erguer apenas uma das patas do felino.

— Por essa eu não esperava. Mas confesso que meu gato é muito grande, e você é pequeno e fraco.

— Se pensa que sou fraco por ser menor do que vocês, então que alguém se ofereça a lutar comigo agora! Desafio vocês a um combate!

— Agora senti firmeza em suas palavras. Vejamos quem poderá enfrentá-lo.

Utgard-Loki olhou em volta para seu povo e chamou uma giganta velha, que estava sentada num banco.

— Esta é minha avó, Elli. Ela pode ser uma velhinha, mas é de grande força. Nem meus homens conseguiriam derrotá-la.

Thor achou que aquilo fosse mais uma zombaria.

— Não lutarei contra uma velha. Mande-me um guerreiro jovem e forte.

— Se você derrotar Elli, poderá enfrentar um guerreiro com essas características. Mas prove que é digno ante a isso.

Thor aceitou. O combate seria feito de forma desarmada. O deus então tentou derrubar a velha giganta, mas falhou em todos os seus intentos. Até que ela simplesmente o empurrou e o fez cair de joelhos. Com isso, os gigantes gargalharam.

— Estou decepcionado que o poderoso Thor tenha perdido para minha vovozinha.

Então, ouviu-se uma nova leva de gargalhadas.

Thor bufava como um touro furioso, mas Utgard-Loki foi mais rápido e disse:

— Esses foram apenas jogos bobos. Já está anoitecendo; convido você e os demais para jantarem conosco e passarem a noite no salão. Amanhã poderemos pensar em outras provas.

Thor, Loki, Tjalfi e Roskva cearam com os gigantes e depois se recolheram para seus quartos. No dia seguinte, os quatro se reuniram a Utgard-Loki no lado de fora da fortaleza, e este perguntou:

— O que achou da hospedagem?

— A comida estava saborosa, e a bebida, muito boa. Mas fiz um papel de ridículo diante de você e seus homens. Reconheço que fui deveras arrogante em me achar o mais poderoso de todos e acabei falhando em todos os desafios propostos.

— Entendo. Mas lhe contarei a verdade: o gigante Skýrmir que vocês encontraram na floresta era eu disfarçado. Usei magia para atar o laço de minha bolsa de forma que você jamais conseguisse desatá-lo. Usei magia de ilusão para me proteger; os três golpes que desferiu contra minha cabeça foram dados contra montanhas, as quais foram esmagadas diante de sua estrondosa força. No desafio da comida, Loki competiu contra o fogo disfarçado do gigante Logi, por isso ele devorou tudo o que viu pelo caminho, já que o fogo tudo consome. Na corrida, Tjalfi não correu contra Hugi, foi apenas uma ilusão; na verdade, ele correu contra meu pensamento. Ninguém é mais rápido do que o pensamento. Na disputa do corno de bebida, ele era mais fundo do que você podia ver. Ele estava conectado ao mar; a cada grande gole que você dava, a maré baixava. Nunca imaginei que alguém pudesse beber o mar e fazê-lo diminuir. O gato gigante, na verdade, não era um gato, mas uma ilusão ocultando a serpente Jormungand, a maior das criaturas. Ainda assim, você conseguiu erguer uma parte desse monstro, façanha que eu achava impossível. Por fim, a velha Elli com quem você lutou era a própria velhice. Ninguém consegue vencer a velhice, pois ela acaba com todos.

Tendo ouvido aquilo, Thor foi tomado de grande fúria por ter sido enganado. Então sacou seu martelo, mas Utgard-Loki desapareceu no ar. O deus do trovão olhou para o lado, para destruir a fortaleza, mas havia apenas ruínas ali. Tudo que se passou foi fruto de artifícios mágicos. Os gigantes debocharam de Thor, mas ele realmente era poderoso como alegava ser, só não era tão esperto.

O ROUBO DO MARTELO

Este mito é narrado no poema "Thrymskvida", presente na *Edda poética*. A versão a seguir é uma adaptação da obra.

Thor despertou em seu salão, o Bilskirnir, e, quando foi pegar seu martelo, o Mjölnir, não o encontrou, embora soubesse que o havia deixado no mesmo lugar de sempre, e aquilo o irritou. O deus remexeu os cabelos vermelhos e coçou a barba vasta, tentando se lembrar se teria posto o martelo em outro lugar. Ele revirou o quarto, mas nada encontrou. Thor questionou sua esposa, Sif, a de belos cabelos de ouro, se havia visto a arma, mas ela não soube dizer onde poderia estar. Memo tendo percorrido o imenso salão, o Mjölnir continuava sumido, então Thor foi falar com Loki, conhecido pela arte das travessuras.

Loki respondeu que nada sabia sobre o paradeiro do martelo, mas se ofereceu para ajudar a procurá-lo. Os dois viajaram até Folkvang, o reino de Freyja, e ali encontraram a bela deusa da fertilidade, a quem o deus do trovão revelou sua preocupação. Freyja falou que não sabia como ajudar a procurar o precioso martelo, mas Loki, sagaz como era, disse que queria emprestado seu *fjaðrhamr*, um traje mágico que concedia a capacidade de voar. Sem revelar seus planos, Loki vestiu a roupa de penas e partiu voando rumo à terra dos gigantes[20].

Enquanto sobrevoava Jotunheim, ele avistou o gigante Thrym, que mantinha cães com coleiras de ouro a guardar sua fazenda e que, na ocasião, alisava as crinas de seus cavalos. Loki pousou próximo a Thrym.

— Loki Laufeyson, o filho pródigo, volta ao lar de sua gente. O que o traz a Jotunheim?

— Não imagina o problema que causou. Os Ases estão nervosos. Onde escondeu o martelo de Thor?

---

[20] O mito não explica como Loki descobriu aonde ir, mas ele vai diretamente até o ladrão.

Thrym parou de alisar o cavalo e olhou para Loki, exibindo um ar de superioridade e um sorriso de deboche.

— O precioso martelo está enterrado a muitos quilômetros de profundidade, tão fundo que somente eu sei como chegar lá. Mas diga aos Ases que, se quiserem o martelo de volta, em troca terão de me entregar Freyja como esposa.

Loki voou de volta a Asgard, retornando a Bilskirnir e encontrando Thor no jardim. Ao avistá-lo, o deus ruivo lhe perguntou, ansioso:

— Conseguiu descobrir algo? O que viu durante o voo?

— Descobri a identidade do ladrão que lhe roubou. Thrym é o seu nome[21].

— Maldito sejam ele e o seu nome. Quando encontrá-lo, vou trucidá-lo.

— Thrym escondeu o Mjölnir nas profundezas do mundo, num local ao qual somente ele sabe como chegar.

— Canalha! E o que ele quer em troca?

— Ele quer Freyja como esposa.

Thor ficou surpreso com aquele pedido e pôs-se a pensar.

— Freyja não concordará com isso.

— Teremos que encontrar uma solução.

Os dois seguiram para Sessrúmnir, o salão de Freyja, onde Loki explicou o que descobriu sobre o ladrão e a exigência que ele fez. Freyja ficou furiosa, gritando de raiva, e quase arrancou o precioso colar Brisingamen. Então, com a face vermelha pela fúria, olhou para Loki e Thor, e respondeu:

— Se eu aceitar o pedido, serei vista como uma meretriz entre todos os deuses, elfos e gigantes. Jamais aceitarei tal afronta e descabimento.

Loki olhou para os dois deuses e falou:

— Só nos resta convocar o *thing* (assembleia).

Os deuses e deusas se encontraram no salão de reuniões; começaram a conversar e propor várias ideias do que ser feito, mas Heimdall foi quem sugeriu uma ideia que chamou a atenção de todos. O guardião da Bifrost assim falou:

— Se o gigante ladrão quer uma noiva, então lhe daremos uma noiva. Sugiro que Thor se vista para o casamento e vá no lugar de Freyja. Coloquem um vestido nele, o toucado, o véu e o colar Brisingamen.

Os deuses ficaram surpresos com a sugestão. Thor se irritou e bateu o punho na mesa, fazendo-a estremecer, e bradou:

— Isso é uma infâmia! Sugerir que eu me vista de noiva.

Loki se levantou e disse:

---

[21]   O mito não revela como Thrym conseguiu roubar o Mjölnir.

— Cale-se Thor! Se nada fizermos, os gigantes invadirão Asgard e farão dela seu novo reino. Precisamos do Mjölnir para que você defenda a terra dos deuses. Engula seu orgulho e coloque aquele vestido!

Os demais deuses concordaram com o plano de Heimdall. Então Thor, revoltado, aceitou o plano. Freyja o levou ao seu salão e, com a ajuda de suas servas, vestiu e arrumou o deus do trovão. Loki também se vestiu de mulher, dizendo que atuaria como criada. A carroça de Thor foi preparada com seus bodes, então o deus e Loki embarcaram e voaram pelo céu furiosamente.

Enquanto isso, Thyrm dava as ordens para os preparativos da festa de casamento, falando com entusiasmo aos seus criados.

"Ah, que donzela adorável!".
Elmer Boyd Smith, 1902.

— Vamos, vamos, quero tudo pronto o quanto antes. Em breve a bela Freyja, filha de Njörd dos Vanes, estará aqui.

Enquanto observava os preparativos do casamento, Thrym falava consigo:
— Vejo minhas vacas de chifres de ouro, meus bois negros; tenho tesouros aos montes e muitas joias, mas só me falta a preciosa Freyja.

Era quase noite quando Thor e Loki chegaram à fazenda de Thyrm. Tudo já estava pronto; os convidados já comiam e bebiam enquanto aguardavam a chegada da noiva. Os dois adentram o enfeitado salão, e todos fitaram os recém-chegados. O noivo foi receber sua futura noiva e a criada dela.

— Presumo que estejam com fome. Sirvam-se, por favor. O casamento será em seguida.

Thor se dirigiu à mesa de comida e devorou vorazmente vários pratos de carne, incluindo um boi, oito salmões e as sobremesas, e bebeu três vasos de hidromel. Thyrm, que estava sentado em seu cadeirão e observava a noiva de costas para ele a devorar o jantar nupcial, achou aquilo estranho.

— Nunca vi uma noiva comer tanto nem uma donzela beber tanto. Ela comeu um boi inteiro e bebeu todo o hidromel disponível até agora.

Loki astutamente falou:

— Passamos oito noites viajando, e Freyja estava tão nervosa que mal se alimentava. Ela estava realmente com grande apetite.

Thyrm então se levantou e andou na direção da noiva. Quando se aproximou para beijá-la no rosto, notou seus olhos vermelhos e recuou em espanto.

— Por que tem olhos vermelhos por trás do véu? — perguntou o noivo.

— É por conta da falta de sono, meu senhor. Freyja ficou tão ansiosa em chegar, que não dormiu por oito noites.

Uma giganta que era irmã de Thyrm aproximou-se dos noivos e disse:

— É chegada a hora da cerimônia. Onde está o dote da noiva?

— Em breve ele chegará. Mas é melhor realizarmos logo o casório — falou Loki.

Thyrm mandou que trouxessem o Mjölnir, o qual foi colocado sobre o colo de Thor, que estava sentado num cadeirão.

— Senhoras e senhores, agradeço a todos pela presença neste meu casamento. Usarei o martelo do deus Thor, o qual eu astutamente consegui roubar, para consagrar nosso casamento em nome de Var, a deusa que preside os juramentos.

Mal Thyrm havia terminado de falar, Thor ergueu o martelo, rasgou o véu e o vestido e partiu para matar os gigantes. Thyrm teve sua cabeça esmagada num único golpe mortal. Sua irmã, em vez de receber moedas e anéis como dote, recebeu marteladas. De forma selvagem e brutal, o deus do trovão matou todos os gigantes e gigantas presentes. O casamento sangrento ficaria marcado na história, servindo de lição: nunca roube o martelo de Thor.

O BANQUETE DAS CALÚNIAS

O texto a seguir é uma adaptação do poema "Lokasenna", presente na *Edda poética*. Para facilitar a compreensão da trama, os diálogos poéticos foram adaptados para a prosa, além de que alguns trechos foram inseridos para conceder fluidez e intensidade à narrativa.

Era uma vez o gigante Aegir, marido de Rán, a deusa do mar, com quem teve nove filhas. Ele era conhecido por ser um exímio fabricante de bebidas, especialmente de cerveja. Por ser casado com uma deusa, era amigo dos deuses e costumava oferecer banquetes às divindades.

Certo dia, convidou os deuses e alguns elfos para um almoço. Em seu grande salão, havia duas longas mesas, acompanhadas por bancos forrados por peles de lobo e urso. Na mesa da direita, à cabeceira, sentado num cadeirão, estava Odin; ao seu lado direito, encontrava-se sua esposa, Frigga; no lado esquerdo, estava Njörd e sua esposa, Skadi, uma mulher de pela branca como a neve , cabelos longos e lisos de um louro prateado, e olhos de um azul marcante. No restante dos bancos, estavam Iduna, Bragi, Sif, Freyr, Freyja, Gefjon, Vidar, Tyr e Loki. Completando a comissão dos deuses, estavam dois criados pessoais de Freyr, Byggvir e Beyla. Na ponta oposta a Odin, sentava-se Aegir, no entanto, sua esposa não estava presente no banquete.

Na outra mesa, encontravam-se elfos, com seus longos cabelos lisos, olhos claros, rostos belos e corpos esbeltos. Sobre as mesas, havia vários pratos com carnes, frutas e legumes, assim como jarras de cerveja, vinho e hidromel. Dois criados de Aegir, Fimafeng e Eldir, auxiliavam nos trabalhos de copa. Na ocasião, eles eram parabenizados pelo suntuoso banquete que haviam preparado.

Como já se sabe, Loki não era afeito a expressões de carinho, tinha certa rejeição por algumas situações como essas. Todo aquele falatório dos deuses e elfos acerca dos dotes culinários de Fimafeng lhe estavam dando dor de cabeça. Ele bebia sua taça de cerveja em silêncio, mas atento às palavras proferidas, aos brindes e aos elogios desenfreados. O gigante Fimafeng estava muito lisonjeado, sorria e agradecia aos deuses.

Cansado de tudo aquilo, Loki tramou mais uma das suas: pegando uma faca que estava próxima, ele sorrateiramente a escondeu sob a mesa.

— Meu bom Fimafeng, poderia me servir mais de sua deliciosa cerveja? — disse ele.

— Sim, senhor Loki.

O gigante se aproximou enquanto enchia a taça, então Loki malignamente o apunhalou várias vezes no ventre, matando-o. Fimafeng caiu morto ao chão. Tyr e Sif, que estavam ao lado dele, se levantaram horrorizados.

— Maldição, Loki! O que pensa que está fazendo?! — exclamou Tyr.

Os demais deuses também ficaram atônitos com aquilo. Até mesmo os elfos que conversavam e contavam suas próprias histórias, ao ouvirem a exclamação de Tyr, se calaram e viraram para ver o que havia acontecido.

— Como ousa derramar sangue no salão de Aegir, seu desgraçado?! — vociferou Heimdall, que havia se levantado e já se preparava para desembainhar a espada quando foi impedido por Freyr, que lhe segurou o braço.

— Guarde sua arma, meu amigo. Hoje é um dia de paz e celebração. Não vamos iniciar uma luta aqui.

— Mas... — Heimdall foi interrompido por Odin.

— Freyr está certo. Estamos aqui em comunhão pela concórdia entre deuses, gigantes e elfos. Seu ato criminoso, Loki, maculou nossa paz.

— Por que me fulminam com tais olhares? Matei um mero escravo. Que eu saiba, não há problema algum em matar um escravo. Os deuses agora estão compassivos pela escória? Que patético.

— Loki, seu sarcasmo não é bem-vindo aqui — repreendeu-lhe Frigga.

— Agora retrate-se perante o anfitrião e suma de nossa vista.

— Isso é sério? Tenho que pedir desculpas por ter matado um escravo qualquer?

— Loki, está testando nossa paciência — disse Vidar num tom de irritação. — Se não for Heimdall, serei eu a lhe ensinar bons modos.

Apesar de estar se divertindo com aquilo, o gigante trapaceiro viu que a situação estava ficando problemática. Vidar e Heimdall ansiavam por lhe dar uma surra e não duvidariam que o próprio Aegir, por trás de sua cara de bonachão, estivesse ardendo em fúria. Todavia, sem reconhecer seu erro, Loki se levantou e correu para fora do salão, indo se alojar na floresta.

— O covarde está fugindo — disse Bragi. — Deveríamos ir atrás dele e lhe ensinar uma lição.

— Deixe-o ir — disse Odin.

O Pai de Todos se levantou e dirigiu a palavra a Aegir.

— Mil perdões, caro amigo. Sentimos muito pela morte do adorável Fimafeng.

— Agradeço pela empatia, Majestade. Realmente foi uma tragédia. Não imaginava que Loki fosse tão mesquinho e vilanesco a tal ponto. Eldir, chame os outros, leve o corpo do pobre Fimafeng daqui e limpe esse sangue derramado.

— Sim, senhor.

Odin se dirigiu ao centro do salão, de onde olhava para a mesa dos deuses e dos elfos. Erguendo um corno dourado na mão direita, ele disse:

— Peço perdão pela fatalidade que houve aqui, mas não deixemos que isso estrague nosso banquete. Por favor, voltem a beber, comer e conversar.

Enquanto isso, Loki caminhava na floresta aos resmungos.

— Hipócritas! Ficavam jogando aquele jogo estúpido com Balder e agora querem me dar sermão sobre violência? Balder podia ser quase invulnerável, mas ainda assim era um deus, ao contrário de Fimafeng, um mero escravo. A cada dia que passa, o mundo se torna mais chato e cheio de frescura. Matar um escravo agora se torna motivo de alarde.

Tempos depois, Loki voltou a se aproximar do salão. Na porta, estava o criado Eldir. Loki esperava entrar, mas Eldir se posicionou entre ele a porta.

— Diga-me, Eldir, antes que saia da minha frente, o que os deuses estão dizendo sobre sua cerveja?

— Minha cerveja é tão boa quanto a de Fimafeng, só não é equiparável à do mestre Aegir. Todavia, os deuses e elfos apreciam minha bebida. Eles estão falando dos seus feitos em armas.

— Que interessante. Fico feliz por você.

Eldir o fitou com um olhar sério.

— Sua hipocrisia não me engana, Loki Laufeyson. Depois do que fez ao dedicado Fimafeng, os deuses não querem ver sua cara desavergonhada aqui. Vá embora, é o melhor que fará por nós.

— Ir embora, eu? Que falta de cortesia a sua. Seu mestre não lhe ensinou bons modos? — disse ele, de forma zombeteira.

— Seu desdém não vai me abalar. Saiba que é melhor para você não entrar no salão de Aegir. Os deuses não estão amigáveis para recebê-lo. Se entrar, provará da sua cólera.

— Que bom, assim espero. Que eles me recebam com toda a sua raiva, pois entrarei no salão de Aegir acompanhado do ódio e da maldade; farei os Ases e Vanes os beberem com hidromel — disse Loki, sarcástico. — Agora saia da minha frente. Já me tomou um bom tempo com seu falatório.

Ao adentrar o salão, todos logo se calaram. Era muito cinismo vê-lo de volta, ainda mais após ter matado Fimafeng e quase comprometido o banquete. Então ele se pronunciou de forma sarcástica:

— Eu, Loki Laufeyson, retorno a este salão após uma longa caminhada. Estou com sede. Qual dos Ases vai me oferecer um pouco de hidromel?

Ninguém se pronunciou.

— Ora, por que todos estão calados? Os senhores estão impossibilitados de falar? Que falta de cortesia é essa?

Loki olhou para Aegir, que estava sentado em seu trono.

— Aegir, anfitrião deste banquete, vai deixar um visitante à espera?

O silêncio foi quebrado com a voz de cantor de Bragi, que se levantou e disse:

— Seu cinismo é execrável, Loki Laufeyjarson. Ainda tem o atrevimento de retornar a esta casa depois do que fez? Os deuses não vão lhe ceder assento à sua mesa. Você não é digno de nossa companhia. Retire-se por bem enquanto ainda é tempo.

Loki ignorou Bragi. Então, olhando para Odin, dirigiu-lhe a palavra.

— Odin, você se esquece de que somos irmãos juramentados? Que há muito tempo fizemos um juramento de sangue[22]. Que eu saiba, vocês, deuses, sempre honram suas promessas, à diferença dos homens. Então me pergunto: estão realmente determinados a descer do pedestal por causa de uma fatalidade, por causa de um momento de torpe embriaguez? Confesso que a bebida me exaltou os ânimos mais do que eu esperava.

Olhando para Aegir, Loki disse:

— Peço desculpas, benévolo Aegir, por ter maculado sua casa com o sangue de seu escravo. A bebida me tornou agressivo — encerrou ele com uma reverência de desculpas.

Antes que alguém se pronunciasse, a voz de Odin se fez ouvida, e sua resposta foi curta.

— Levante-se, Vidar, ceda lugar ao Pai do Lobo.

---

[22] O poema não explica que juramento seria esse, porém ele era tão importante que Odin e Aegir permanecem passivos diante das calúnias cometidas por Loki.

Os deuses olharam espantados para Odin. Aquilo era verdade mesmo? O rei dos deuses permitiria que o canalha do Loki voltasse a se sentar à mesa com eles? Vidar não se levantou de imediato, mas indagou o pai.

— Pai, eu ouvi direito o que acabou de me pedir? Devo eu ceder meu lugar para aquele canalha?

— Eu já disse para que se levante — falou Odin de forma fria. — Não vou pedir de novo.

Ainda assim, Vidar relutou em obedecer ao pai, mas Odin, com seu único olho, fitou-o de forma intimidadora, como os pais sabem fazer. Dessa vez, ele obedeceu, mas, antes de deixar seu lugar, deu um murro leve na mesa e se afastou. Os deuses que estavam ao seu lado fizeram o mesmo, pois não queriam permanecer sentados próximos a Loki. Após ter se sentado, ele voltou a falar enquanto pegava um copo.

— Meu copo está vazio. Quem se oferece para enchê-lo?

— Vidar, sirva-o.

— Está falando sério, meu pai? Já não basta ter de ceder meu lugar a ele?

— Sirva-o.

Contendo a raiva, Vidar se levantou, pegou uma jarra de cerveja e encheu o copo de Loki.

— Obrigado, não imaginava que conseguisse ser gentil — disse, com ironia.

Vidar o fulminava com o olhar. Seu punho tremia de raiva.

— Aprecie sua bebida, pois não se sabe se voltará a beber algo tão bom como agora.

— Seguirei seu conselho.

Vidar retornou ao seu local, e Loki, antes de beber, levantou-se.

— Gostaria de fazer um brinde aos Ases e Vanes, um brinde à saúde dos Sagrados Deuses, menos à de Bragi, que está sentado na ponta do banco — ele bebeu em seguida.

Bragi retrucou a provocação.

— Você não tem postura nem para brindar. Tem sempre que fazer deboches durante a ocasião. Quanta canalhice desaforada.

— Hã? O que disse? Não estou ouvindo, você está muito distante. Fale mais alto — gargalhou no fim.

Irado, Bragi bateu a palma da mão na mesa e se levantou.

— Desgraçado! Está me afrontando! Juro pela minha espada, meu cavalo e meu bracelete que, se não parar com seus escárnios, vou expulsá-lo daqui a pontapés!

Loki não parecia se importar com aquilo; tomava sua cerveja tranquilamente.

— Guarde sua espada, seu cavalo e seu bracelete, pois tudo isso de nada servirá. Dentre os Ases, conhecidos por serem nobres guerreiros, você é um simples poeta. Vai me matar de tédio com sua horrível poesia?

Bragi bateu com fúria na mesa, fazendo os copos tombarem e os pratos tremerem.

— BASTA! Suas ofensas já foram longe demais.

Iduna se levantou e segurou o braço do marido.

— Acalma-se, Bragi. Ele está só provocando. Quer enfurecê-lo, meu marido.

— E ele conseguiu. Ouça bem, Loki, vamos lá para fora resolver isso como homens. Se diz que não sou digno de ser um deus guerreiro, que me mostre se sabe lutar. Só digo que o farei engolir cada ofensa que proferiu até agora e, no fim, terei sua cabeça em mãos.

— Bragi, Bragi, você é um deus inteligente, mas está perdendo a cabeça por simples graças que faço. Não perderei meu tempo lutando contra você; estou muito bem aqui, degustando uma boa cerveja. Acalme-se, homem. Sente-se e volte a apreciar o festejo. Como ornamento de banco, você é melhor do que tentando ser valente.

— Ornamento de banco[23]? Desgraçado! Vou acabar com sua raça!

Bragi se preparava para cruzar o banco quando Iduna lhe puxou pelo braço e exclamou:

— Bragi, eu imploro, não faça isso! Não aceite brigar com ele, não vale a pena. Ouça sua esposa, por favor — dizia ela, aflita.

— Silêncio, Iduna! — exclamou Loki. — Digo que, de todas as esposas, você é a mais indecente, a mais hipócrita. Você confortou o assassino de seu próprio irmão!

Iduna ficou chocada com tal acusação.

— Loki, a embriaguez lhe perturba o juízo? De onde tirou tão caluniosa acusação? Como ousa me acusar de ter "confortado" o assassino de meu irmão?

Antes que Loki respondesse, a deusa Gefjon, aquela que zela pelas virgens, se pronunciou:

---

[23] No poema, a expressão "ornamento de banco" é um *kenning* para mulher. Sendo assim, Loki chama Bragi de "mulherzinha".

Loki Provoca Bragi.
W. G. Collingwood, 1908.

— Por que essa troca de ofensas? Bragi não deveria ter dado ouvidos aos deboches de Loki. Quanto a você, Iduna, não caia na armadilha dele. — Gefjon olhou para Loki. — Desde que retornou, só está gerando discórdia. Não tem vergonha nessa cara? Tirou o dia para nos importunar?

Loki sorriu em deboche. Gefjon se sentiu ofendida com aquilo.

— Por que está rindo?

— Rio de você, bela Gefjon. Vem dar uma lição de moral? Quer bancar a donzela casta e justa, mas eu sei que abriu as pernas para certo alguém... em troca de um anel.

Gefjon ficou com a face vermelha de fúria.

— CANALHA! — gritou ela em resposta.

Odin interveio na ocasião enquanto Gefjon ainda bufava de raiva.

— Está louco, Loki?! Perdeu o juízo? Está irritando Gefjon, ainda mais proferindo tamanha injúria?

— Odin, Odin, não se intrometa, isso agora é entre mim e ela. No caso, ela me acusa de falsidade, mas...

— Já basta! — Odin o interrompeu. — Está indo longe demais. Não quero ouvir mais nada de sua boca difamatória. Vamos encerrar isso. Hoje é um dia de paz e alegria, estamos à beira de um ataque de nervos e quase a nos digladiar. Continuar com essa troca de insultos não levará a vitória alguma.

— Vitória? Isso me fez lembrar de algo. Você, rei dos deuses, a quem também chamam de Heriaföd (Pai dos Exércitos), deveria lembrar que negocia a vitória na guerra a quem lhe oferecer o melhor sacrifício. Que tipo de deus da guerra se vende por ninharias?

— Está dizendo que eu não sei ser justo com os senhores da guerra? Que eu não concedo a vitória para quem não é digno? Deixe de dissimulação, Loki. Não venha falar de guerra para Heriaföd. Você não é homem o suficiente para vir falar de guerra comigo. Recordo-me da vez que passou oito invernos escondido numa caverna a amamentar seus filhos, como se fosse uma mulher ou uma vaca, pois Angrboda havia falecido.

Aquilo irritou Loki. Pela primeira vez, era ele que começava a se enfurecer.

— Não fale o nome de minha primeira esposa. Acha que só porque temos um juramento de sangue significa que eu esqueci o que fez aos meus filhos? Eu não nego que dei de amamentar às minhas crias, mas o fiz para salvá-las. Se acha isso feminino, Pai de Todos, posso dizer que já o vi fazendo magia *seiðr* na ilha Sam como se fosse uma *völva* na companhia de homens afeminados.

Odin começou a se irritar, mas, antes que respondesse à afronta de Loki, Frigga se levantou e se pronunciou.

— Parem já, os dois! Isso aqui não é lugar para ficarem trocando acusações sobre o que fizeram no passado.

— Silêncio, Frigga! — vociferou Loki, irritado. — Não seja hipócrita a tal ponto. Lembro-me da vez em que Odin viajou para longe e passou muito tempo fora. Achando que ele havia morrido, você não pensou duas vezes antes de ceder aos galanteios dos irmãos dele, Vili e Vé; quase se casou com um deles ou com os dois!

Frigga se irritou com aquilo e esbravejou:

— Loki Laufeyson, maldita seja sua língua venenosa! Nós, os Ases, acolhemos você e é assim que nos agradece? Difamando-nos? Se Balder estivesse aqui, não teria deixado a situação chegar a esse ponto.

— A senhora diz a verdade. O belo, justo e gentil Balder não teria tolerado isso. Mas, felizmente, ele não está mais entre nós — disse Loki num tom petulante.

— Loki, ficou louco de vez? Pare com tais sandices e retire-se o quanto antes. Como ousa levantar a voz ao rei e à rainha? — interveio Freyja.

Loki virou o rosto e olhou para ela.

— Vejam só quem decidiu se pronunciar. Estou aqui a falar com a dama e agora a vadia quer se intrometer.

— Vadia? — disse, com raiva. — Retire o que disse, desgraçado!

— Não me venha com falso moralismo, bela Freyja. Todos os deuses e elfos que aqui estão sabem de sua promiscuidade. Você é uma cabra em meio a bodes; se não se recorda, Regin me falou que chegou a compartilhar o leito até mesmo com seu irmão!

— LOKI! — explodiu em fúria.

Freyja começou a jogar taças e pratos contra o gigante, que desviava dos objetos. Enquanto isso, os elfos, que não participavam dessa discussão, cochichavam entre si[24].

Freyja ainda atirou mais alguns objetos, até que o pai segurou seu braço.

— Largue-me, pai. Quero acabar com aquele maldito. Farei com que ele engula todos os insultos que proferiu a mim.

— Acalme-se, Freyja! Eu resolverei isso — disse Njörd.

Ainda furiosa, a deusa decidiu acatar a ordem do pai, então voltou a se sentar.

— Loki, peça misericórdia agora por suas ofensas e retire-se daqui se ainda quiser viver. Não importa o que Odin diga de você; como um dos Vanes, não vou tolerar mais nenhuma calúnia sua proferida à minha família.

— Njörd, o de Belos Pés, decidiu ser valente. Logo você, que veio para Asgard como refém de um pacto entre os Ases e Vanes, quer me falar de misericórdia? Quanta ironia.

— Não nego que vim como resultado de uma aliança de paz, mas não desconverse, Loki. Implore por perdão ou sofrerá as consequências.

— Njörd está certo — disse Tyr. — Crápula, implore por misericórdia enquanto ainda há tempo.

— Até você, Tyr, se intromete na minha conversa? Decidiu dar uma mão para Njörd já que não pode dar as duas? — Loki riu daquilo.

— Eu posso ter perdido uma mão para Fenrir, o lobo, mas saiba que seu terrível filho está acorrentado nesse momento, preso numa caverna, e silenciado por minha espada.

— Isso é verdade, você me tirou um filho, mas saiba que o seu não lhe pertence, pois não foi homem o suficiente para engravidar a esposa![25]

— MENTIROSO! MALDITO SEJA! Como ousa proferir tamanho disparate?!

---

[24] No poema, os elfos em momento algum interagem na narrativa, apenas assistem à discussão.

[25] No poema não é informado quem seria a esposa de Tyr. Na própria mitologia, sua identidade é desconhecida, assim como não se sabe quantos filhos ele teria.

Tyr desembainhou a espada e se dirigiu para confrontar Loki.

— Loki Laufeyson, desafio você a lutar por sua vida, pois honra, já não tem para defender. Vejamos se sua espada é tão afiada quanto sua língua.

Loki já estava de pé ao lado da mesa, e Tyr estava a alguns passos de distância dele quando Freyr se posicionou à sua frente.

— Saia do caminho, Freyr — disse, com grande irritação. — Isso agora é pessoal. Vou arrancar a língua venenosa daquele verme — disse Tyr.

Loki não havia se intimidado com aquilo, então soltou mais um de seus disparates.

— Freyr, é melhor aceitar a ajuda de Tyr, pois sem sua espada mágica você não consegue nem matar uma mosca.

Freyr se virou e fitou Loki.

— Está dizendo que eu precisaria da minha espada mágica para acabar com você? Sua sandice é tão grande quanto sua petulância?

— Ora, só estou dizendo a verdade. Um homem que teve de comprar seu casamento, trocando sua arma mágica pela mão da noiva, não tem capacidade para nada.

Byggivr, o criado de Freyr, com arma em punho, aproximou-se de Loki e disse:

— Como ousa afrontar o meu senhor, seu canalha! Se recebesse ordem para matá-lo, eu o faria de bom grado.

Loki sorriu em desdém.

— Quem coisa miúda é essa que dirige a palavra a mim como um cão acuado? — Loki olhou para Freyr. — Agora se esconde atrás de seus escravos, Freyr? Precisa deles para lhe proteger a honra?

— Sou Byggvir e, se meu mestre permitir, arrancarei esse sorriso desgraçado de sua face, Loki.

— Ora, ora, um cordeirinho querendo bancar o lobo. Menos, menos. Guarde essa espada, pois pode acabar se machucando. Agora volte para o canto do salão, onde é seu lugar, e deixe os adultos conversarem.

Byggvir ficou sem reação. Nesse momento, Heimdall se pronunciou:

— Majestade, como guardião de Asgard e sentinela da Bifrost, peço ao senhor que me autorize a remover, com uso da força, essa escória que aqui se encontra e prejudica nossa alegria.

Odin não respondeu de imediato, mas Loki rapidamente se pronunciou:

— Querendo me expulsar, Heimdall? Nem consegue fazer seu trabalho de porteiro direito.

— De onde tira tão absurdo julgamento? Em todas essas eras, sempre zelei pela segurança de Asgard.

— Verdade mesmo? E o que dizer da vez em que o gigante Tjazi adentrou a terra dos deuses, chegando bem próximo de atacar Valhalla? Onde estava para ter permitido isso, ó, nobre sentinela? — perguntou, com deboche no final.

— Loki, tire o nome de meu pai dessa sua boca imunda; ela não é digna de proferi-lo — disse Skadi.

— A fria Skadi decidiu me reprender também? Vejo que hoje todos decidiram fazê-lo.

— Suas canalhices estão perto de acabar. Acha que não será punido por tudo o que está fazendo hoje? Saiba que um tormento digno de sua infâmia o aguarda — disse Skadi.

— Não foi corajosa o suficiente para levar a cabo sua vingança e agora quer me falar de punição. Saiba que, quando seu pai invadiu Asgard, a primeira flecha disparada na direção dele foi a minha.

Skadi grunhiu de raiva.

— EU MATO VOCÊ, LOKI! EU MATO!

— Como eu havia dito, sua raiva é uma ilusão. Vendeu sua vingança por um casamento. Se me lembro bem, na ocasião, os deuses me pediram para incentivá-la a aceitar a proposta, e você até dividiu a cama comigo em retribuição.

Skadi se irritava cada vez mais. A giganta pegou uma taça cheia e jogou contra Loki; dessa vez ele foi atingido. A taça bateu em seu peito e caiu no chão, mas sua roupa e face estavam molhadas de vinho. Loki bufava de raiva. Sif se aproximou dele, oferecendo-lhe uma toalha para se enxugar; o gigante pegou com raiva o pano e começou a esfregar o rosto. Nesse momento, ouviu-se o som do trovão, então Beyla, a serva de Freyr, disse:

— As montanhas tremem perante o trovão e o relâmpago. Thor está de volta. O Senhor dos Raios trará o fim à discórdia que aqui impera.

— Que tolices essa escravinha está falando? — disse Loki, terminando de secar o rosto.

Ele olhou para Sif, então pegou a toalha e jogou de volta para ela.

— Obrigado, querida. Como uma boa amante, você veio acolher seu amado.

— Amante? Que loucura é essa que está dizendo?

Antes que Loki respondesse, uma grave voz como o trovão se pronunciou.

— Que loucura é essa que está dizendo? Vamos, Loki, explique-se.

Todos olharam para a porta, onde se encontrava o grande Thor. Loki, que era conhecido por suas palavras rápidas e afiadas, calara-se diante do deus do trovão.

— Estou esperando uma resposta, Loki. Está ofendendo minha esposa?

— Mestre Thor — disse Byla —, desde cedo Loki está proferindo mentiras e insultos contra os deuses. Ele nos afrontou a dignidade e maculou a paz do salão de Aegir ao derramar o sangue de Fimafeng.

— Fimafeng está morto?

— Sim, senhor.

Thor voltou a fitar Loki. Os olhos do deus do trovão estavam vermelhos de raiva. Ele então pegou o martelo, e Loki dessa vez se pronunciou.

— Filho de Jord, por que tanta raiva? De nada isso servirá.

— Vou enviá-lo para o leste, e nunca mais será encontrado, seu miserável!

— Para o leste? Se me recordo bem, foi para aqueles lados em que conhecemos o gigante Skrymir, que humilhou você várias vezes.

Thor se irritou com aquilo.

— Cale-se, seu maldito! Ou vou arrancar sua cabeça e enviá-la para Helheim!

Percebendo que a situação chegava a um ponto que dificilmente conseguiria contornar, Loki decidiu escapar. Retirando de um dos bolsos de sua veste, ele jogou uma bomba[26] no chão que causou um grande brilho, ofuscando a todos e permitindo que escapasse na ocasião, correndo em direção à floresta.

Os deuses resmungavam com ódio pela trapaça. Odin então se levantou e disse:

— Peguem suas armas, vamos à caça!

Loki corria rápido como um cervo em fuga e assim conseguiu fugir, e os deuses ficaram bastante irados por terem perdido o rastro daquele embusteiro. Todavia, não significou que haviam desistido de caçá-lo. Odin enviou seus corvos, Hugin e Munin, para que percorressem os Nove Mundos em busca daquele canalha.

Alguns dias se passaram até que finalmente o Pai de Todos, sentado no trono Hlidskjálf, no qual diziam que quem se sentasse teria a visão completa de todos os mundos, passou dias a observar todos os mundos à procura de Loki, até que algo lhe chamou a atenção: uma simples cabana de madeira com quatro portas, uma para cada ponto cardeal, situada à margem de um rio de águas claras e velozes, a alguns metros de distância da Cachoeira Frangang. O curioso era o fato de Odin ter visto dois homens disfarçados se dirigirem até lá.

---

[26] No poema, é dito que ele lançou uma bola de fogo, mas sem especificar como ele o fez exatamente.

O deus então notou que se tratava de Vali e Nari, os dois filhos de Loki com Sigyn. Talvez o pai deles estivesse por ali. Sem desperdiçar a chance, ele convocou os outros deuses, que partiram até a Cachoeira Frangang. Odin liderava o grupo, cavalgando Sleipnir, sendo seguido por Thor em sua carroça puxada pelos bodes Tanngrisnir e Tanngnjóstr; compondo o restante do grupo, estavam Heimdall, Vidar, Freyr, Tyr, Njörd e Skadi. Os deuses chegaram pouco tempo depois. Vali e Nari, que não esperavam por aquilo, foram surpreendidos com a chegada deles. Thor saltou de sua carroça para terra firme e, com o Mjölnir em mãos, bradou:

— Digam onde ele está! — disse, em um pesado tom de ameaça.

Os dois homens ficaram paralisados de medo.

— Do que está falando, Poderoso Thor? — disse Vali. — Eu e meu irmão viemos aqui para pescar, apenas isso. Não sabemos do paradeiro de nosso pai.

— Estão mentindo — disse Heimdall.

— São mentirosos como o pai — comentou Tyr. — Têm a quem puxar.

— Para o bem dos dois, é melhor que cooperem conosco — voltou a dizer Thor.

— Vali e Nari, falem logo — exigiu Odin.

Mas os dois irmãos relutavam em fazê-lo. Perdendo a paciência, Vidar avançou contra Nari, perfurou-lhe a barriga, rasgando-a; os intestinos saltaram para fora enquanto o corpo tombava. Vali estava sem reação, então Vidar transformou-o num lobo, e este, ao sentir o cheiro de sangue de seu irmão ainda vivo, não pensou duas vezes em saltar sobre ele e começar a devorá-lo. Nesse momento, os deuses ouviram uma agitação vinda da água. Freyr foi o primeiro a se virar e avistou um salmão saltando freneticamente.

— Aquele não parece um peixe comum.

— Loki é mestre na arte do disfarce — comentou Njörd.

— Vejam, o peixe está tentando escapar rio abaixo — disse Skadi.

— É Loki! — disse Thor.

— Rápido, peguem uma rede na casa, não o deixem escapar — ordenou Odin.

Loki nadava velozmente rio abaixo, porém Thor e Vidar correram com suas pernas fortes, ultrapassando-o, então lançaram a rede, mas o escorregadio trapaceiro saltou sobre ela. Thor ainda foi capaz de segurá-lo pela cauda, mas, como os peixes são escorregadios, Loki conseguiu se desvencilhar da forte mão do deus do trovão e voltou a cair na água. Ele nadou por vários metros, o mar estava adiante, porém Njörd conseguiu capturá-lo com a rede.

A punição de Loki.
Louis Huard, 1900.

— Pode até ser astuto, mas cometeu um de seus maiores erros. Tentou escapar do deus dos mares transformando-se num peixe? Quanta tolice.

Njörd o jogou em terra firme.

— Canalha! — disse Odin, fitando-o severamente. — Assuma sua forma real, pois agora está preso.

Enquanto os deuses deliberavam que punição dariam a Loki, Skadi havia se retirado para a floresta. Minutos depois, decidiram amarrar o traiçoeiro numa caverna ali perto. Vidar matou Vali, que estava transformado em lobo, então pegou os intestinos de Nari e decidiu usá-los como uma corda. Dentro da caverna, Loki foi colocado deitado sobre três rochas, e amarrado pelos punhos e tornozelos com as tripas de seu filho morto. Thor se certificou de que os nós estivessem bem apertados para que, assim, Loki jamais conseguisse escapar. A fria giganta Skadi retornou, trazendo enroscada em um dos braços uma víbora. Ela levou o animal até Loki; a serpente sibilava sua língua bifurcada diante dele.

— Como é reconhecer uma amiga? — perguntou em desdém.

— Tire-a daqui!

— Ora, por que isso? Não é também o Pai da Serpente? Repudia um dos seus semelhantes?

— Termine o que veio fazer, Skadi. — disse Odin.

A giganta amarrou a cobra numa raiz logo acima da cabeça de Loki e, ali, a serpente lhe gotejava veneno continuamente, o qual, ao tocar o rosto dele, queimava como ácido. Loki gritava tão alto que a caverna e o chão tremiam como em um terremoto. O sofrimento era descomunal; os deuses o observavam gritando a cada gota que lhe queimava a face, até que Odin disse:

— Por todas as ofensas e calúnias proferidas no banquete de Aegir, eu, Odin, condeno Loki Laufeyson a esta punição até o fim dos tempos.

Os deuses se retiraram sem olhar para trás. Pouco tempo depois, Sigyn chegou à caverna com uma tigela, usada para colher o veneno da serpente, poupando por algum tempo o sofrimento do marido. Contudo, as tripas de Nari haviam se tornado tão duras quanto o ferro, e mesmo ela sendo uma deusa, não tinha poder para quebrá-las.

IV

HERÓIS

Beowulf encara o Dragão que exala fogo.
Logan Marshall, 1914.

SIGURD

A jornada de Sigurd ao Reno.
Ferdinand Leeke, 1908.

Sigurd, ou Siegfried na tradição alemã, é o mais famoso dos heróis nórdicos. As histórias de suas façanhas e tragédias foram narradas em diferentes fontes, o que reflete a popularidade desse personagem e sua narrativa, a qual inclusive apresenta variações de acordo com a fonte escrita. Sobre isso, as fontes com mais informações sobre Sigurd são a "Saga dos Volsungos", que enfatiza sua família e os acontecimentos após sua morte, e os poemas do ciclo sigurdiano, encontrados na *Edda poética*, que apresentam algumas semelhanças com o teor da saga.

Devido às diferentes versões e entrelaçamentos que a história de Sigurd sofreu ao longo de pelo menos duzentos anos, parte da trama dele acabou sendo fundida a outras narrativas, como a trama referente aos nibelungos na tradição alemã ou o problema do anel na tradição escandinava, além de a trama também se mesclar ao mito de Gudrun, Atli, Gunnar e de Brunilda.

Sigurd é descrito como um homem forte e valente, sendo descendente de uma nobre estirpe, algo enfatizado na "Saga dos Volsungos", família à qual o herói pertence. Contudo, tornou-se órfão e foi criado por um tio e educado pelo anão Regin, membro de uma família problemática formada por pessoas invejosas e gananciosas. A depender da versão, Regin e seus familiares ganham mais ou menos atenção, mas eles estão conectados pela maldição do ouro, em que dois irmãos de Regin, Otr e Fafnir, sofreram consequências por conta de sua ganância.

Embora a narrativa de Sigurd tenha um aspecto trágico, digno dos heróis antigos, o personagem é geralmente conhecido na iconografia e nos escritos por suas duas principais façanhas: matar o dragão Fafnir e resgatar a bela e virtuosa Brunilda, feitos que lhe concederam fama tanto dentro quanto fora da história.

BEOWULF

Beowulf é outro personagem bem conhecido, apesar de não fazer parte propriamente da mitologia nórdica, mas ser acrescentado a ela por conta de sua história ocorrer na Dinamarca e Suécia medievais. A trama do herói é conhecida apenas pelo poema homônimo, de autoria desconhecida, mas escrito em anglo-saxão por volta do ano 1000. Na longa obra, com aspectos épicos e trágicos, somos apresentados às façanhas e infortúnios do valente e ousado Beowulf, que também é descrito como órfão, tendo nascido na terra dos Gautas, no sul da Suécia, ou em Gotland segundo algumas hipóteses mais recentes. Adulto, ele desenvolveu grande força e valentia, sendo um hábil guerreiro e nadador. Beowulf ganhou notoriedade entre os guerreiros e em determinada época viajou à Dinamarca para auxiliar o rei Hrothgar a se livrar de um terrível monstro (talvez um troll, embora a fonte não especifique isso) chamado Grendel, que aterrorizava o reino já há um tempo e sem que nenhum dos guerreiros de Hrothgar conseguisse matar a criatura.

Ilustração de 4 homens carregando a cabeça de Grendel.
Marshall, Henrietta Elizabeth, 1908.

A morte de Grendel marca a primeira façanha de Beowulf, que depois confronta a mãe da criatura, descrita como um monstro que vive numa caverna submarina (talvez inspirado num *nøkken*). Depois disso, o poema é interrompido, e vários anos mais tarde, Beowulf, já um homem de meia-idade, retorna em cena, dessa vez assumindo o trono do reino dos gautas; nessa parte da história, ele confronta um dragão que guarda um tesouro. Apesar da semelhança com Fafnir nesse quesito, o dragão em Beowulf tinha quatro patas, asas e cuspia fogo, e Fafnir era descrito mais como uma grande serpente.

Alguns mitólogos sugerem que a narrativa de Beowulf se passaria em algum momento do século VI, tendo se baseado talvez em acontecimentos reais envolvendo confrontos dinásticos, já que, sem contar a trama principal, o livro apresenta conflitos secundários, além de mencionar localidades reais. A história de Beowulf chegou a influenciar o renomado escritor J. R. R. Tolkien, o qual inclusive fez uma tradução dessa obra. Um resumo dessa história pode ser lido no volume anterior.

RAGNAR LOTHBROK

O personagem de Ragnar Lothbrok tornou-se famoso no mundo todo recentemente por conta da série *Vikings* (2013–2020), criada por Michael Hirst e produzida pelo History Channel, cuja produção adapta o mito de sua vida e façanhas. Devido a essa popularidade, o interesse pelo personagem cresceu bastante, a ponto de surgirem, inclusive, informações falsas sobre ele em sites, canais, blogs e redes sociais, as quais afirmavam que ele fora um personagem histórico. De fato, dos quatro heróis aqui comentados, Ragnar se encaixa melhor num contexto histórico por estar associado a acontecimentos ocorridos no século IX. No entanto, isso, por si só, não prova sua existência.

As principais fontes sobre Ragnar Lothbrok são o livro IX da *Gesta Danorum*, de Saxão Gramático, a "Saga de Ragnar Lothbrok" (Ragnars saga Loðbrókar) e a "Saga dos filhos de Ragnar" (Ragnarsson þáttr), escritas no século XIII, além do poema "Krakumál" (Balada de Kraka), datado do século XII. Cada uma dessas obras fornece informações distintas ou semelhantes sobre o herói. Por exemplo, no relato de Saxão Gramático, é informado que Ragnar era neto do rei Sigurd Hring, que governava um pequeno reino (a Noruega nos dias de hoje). Sendo o único herdeiro direto, Ragnar assumiu o reino do avô após recuperá-lo do rei Fro, que o usurpou. No entanto, as sagas informam que

Sigurd Hring não seria o avô, mas o pai de Ragnar, que seria um rei dinamarquês. Observa-se como as fontes apresentam versões diferentes.

Sendo assim, tais relatos sugerem que Ragnar fosse rei na Noruega, na Dinamarca ou até mesmo na Suécia, não havendo um consenso de onde exatamente ele teria governado, o que é um problema para se dizer que foi um rei real, já que seu nome não é citado em obras do século IX. Mas não é apenas essa questão relacionada a qual reino ele governou que marca as imprecisões na vida desse herói. A identidade de suas esposas e filhos também varia de acordo com as fontes.

Ragnar recebe Kráka (Aslaug).
August Malmström, 1880.

De acordo com a *Gesta Danorum*, Ragnar teve duas esposas, a primeira, Lagertha, uma donzela de escudo; a segunda, a princesa Thora Borgarhjört, filha de Herraudr de Gotland. Nas duas sagas mencionadas, Lagertha não existe, sendo Thora a primeira esposa e, após a morte dela, a princesa Aslaug, a segunda, a qual seria filha de Sigurd e Brunilda. Uma curiosidade é que a "Saga de Ragnar Lothbrok" foi encontrada no mesmo codex que continha um manuscrito da "Saga dos Volsungos", pois o autor que reuniu as duas narrativas considerou a história de Ragnar uma espécie de continuação da família dos Volsungos, conhecida por Aslaug e seus filhos com Ragnar. Esse aspecto é interessante, pois foi um fator a mais para conceder credibilidade e fama aos filhos dele com Aslaug.

Com relação aos filhos de Ragnar, as fontes enumeram vários deles. Três com Lagertha, sendo duas meninas e um menino, chamado Fridleif, e dois com Thora, chamados Erik e Agnar. Porém, os filhos mais famosos são mencionados nas duas sagas. A "Saga de Ragnar Lothbrok" diz que, com Aslaug, ele teve quatro filhos: Ivar, o Desossado, Ubba, Hvitserk e Sigurd Cobra no Olho (ele tinha uma marca de nascença em um dos olhos). Por sua vez, a "Saga dos filhos de Ragnar" informa que os filhos eram Ivar, Bjorn Flanco de Ferro, Hvitserk e Sigurd.

Nesse caso, percebe-se que a diferença se encontra entre Ubba e Bjorn, já que os outros três são assegurados como filhos de Ragnar. Além desses filhos, há menções a filhos adotivos e bastardos. Todavia, os filhos com Aslaug são os mais famosos por conta das duas sagas, pois são enfatizados como os responsáveis por comandar um grande exército que invadiu a Inglaterra para vingar a morte do pai. Sobre isso, o acontecimento da Grande Invasão Viking à Inglaterra de 866–867 foi usado como pano de fundo para a lenda de Ragnar Lothbrok. Por isso, há quem pense que ele teria sido real, mas as fontes da época dessa invasão se referem apenas aos nomes de Ubba, Ivar e um tal Halfdan, sem apontar o motivo da invasão, tampouco citar Ragnar Lothbrok.

Quanto às façanhas de Ragnar, as fontes citam várias batalhas travadas na Escandinávia, na Inglaterra, na França, na Germânia, no leste dos Balcãs e até no Império Bizantino. Nota-se que, nesse ponto, Ragnar foi retratado como um rei conquistador, característica diferente da vista em Sigurd, que estava mais preocupado com sua vida, e até mesmo em Beowulf, que, embora tenha se tornado rei, não apresentou interesse em conquistar terras.

OUTROS HERÓIS

Como dito anteriormente, as sagas têm vários personagens que poderiam ser classificados como heróis ou que pelo menos realizaram atos heroicos. Citamos os mais conhecidos, mas mencionaremos mais alguns: o primeiro é Helgi Hundingsbane, cuja história é narrada em três poemas da *Edda poética*, tornando-a uma trilogia trágica em que ele morre e revive. Helgi é mencionado em outras fontes também.

Outros exemplos são os Ragnarsson, em especial Bjorn Flanco de Ferro, Ivar, o Desossado, Ubbe e Sigurd Cobra no Olho, mesmo com sua popularidade resultante do seriado *Vikings*, já que não são tão expressivos assim na literatura, aparecendo pouco nas sagas e estando associados à invasão da Inglaterra para vingar a morte de seu pai.

Starkad, o Alto é um herói citado em algumas narrativas, apesar de ser pouco conhecido hoje em dia. A maior parte de sua história é narrada no livro VI da *Gesta Danorum*. Ele era descrito como sendo bastante forte e alto, mas também arrogante e orgulhoso, embora prezasse pela honra e a boa conduta. Em sua história, ele teria sido punido por Thor e amaldiçoado por Odin a ter uma longa vida, podendo morrer apenas na velhice, após cometer três assassinatos destinados pelo deus. Um resumo dela se encontra no capítulo "Sagas selecionadas".

O guerreiro berserker e escaldo Egil Skallagrimsson é outro notório personagem das sagas, sendo protagonista da que leva seu nome. Por não haver uma tradução dessa narrativa para o português, ele é pouco conhecido pelos falantes dessa língua. Um primeiro fato interessante sobre Egil é que, mesmo sua saga tendo sido acrescida de elementos ficcionais, ele realmente existiu e viveu na Islândia do século IX. Egil é descrito como valente, impulsivo, orgulhoso e briguento.

Outro exemplo que citamos diz respeito a Njál, o Queimado, homem que sobreviveu a um incêndio criminoso em sua casa, o qual lhe deixou cicatrizes. Sua história é narrada na "Saga de Njál, o Queimado" (Brennu-Njál saga), narrativa que, embora tenha tradução em português, ainda é pouco conhecida. Trata-se de uma história extensa e bem escrita, contendo elementos satíricos, heroicos e trágicos, os quais se desenrolam ao longo de várias décadas, acompanhando disputas judiciais, conflitos familiares e vinganças na Islândia entre os séculos

X e XI. Nesse tenso cenário, Njál, que atuava como legislador, tentava resolver esses problemas pela lei, mesmo tendo de empunhar armas para tal.

Yngvar, o Viajado e seu filho, Sueno Yngvarson, são dois personagens heroicos que aparecem na "Saga de Yngvar" (a qual foi adaptada no capítulo "Sagas selecionadas"). Ambos possivelmente teriam existido, tendo vivido no século XI e empreendido viagens para o leste europeu, rumo ao mar Negro. Nessa saga, os dois confrontam vários perigos, mas o maior destaque é dado a Sueno, que realizou feitos mais heroicos do que o pai, como lutar contra gigantes e um dragão.

Volund era um príncipe com dois irmãos, os três se casaram com valquírias, entretanto, Volund era um habilidoso ferreiro, tendo sido capturado pelo ambicioso rei Nidur e forçado a trabalhar para ele. Apesar de curta, a história de Volund mostra que o herói conseguiu vencer não pela força, mas pela inteligência e suas habilidades como ferreiro e artesão.

O arqueiro Oddr é outro personagem famoso nas sagas, apesar de não ser muito conhecido no Brasil, pois sua saga não foi traduzida. Ele é um dos poucos guerreiros a ser um hábil arqueiro. Em sua saga, ele atua como mercenário, viajando por muitos lugares, participando de várias batalhas, mas acaba morrendo de forma trágica.

Com relação às heroínas, a mais conhecida nas sagas é Hervör, uma guerreira filha de uma família de berserkir, a qual vai buscar a espada mágica do pai, iniciando sua jornada. Por sua vez, a personagem da Lagertha, diferentemente do seriado, não tem expressividade na mitologia. Lagertha aparece brevemente na *Gesta Danorum*, tendo participado da batalha para ajudar Ragnar Lothbrok a vingar a morte de seu avô, o rei Sigurd Hring, e reaver o trono da Noruega. Essa história pode ser conferida neste livro, no capítulo "Sagas selecionadas".

V

GUERREIROS E GUERREIRAS

Um dos quatro pratos de Torslunda (6-8 séc. d.C.). Este é interpretado como uma representação de Odin, à esquerda, e um *berserkir*.

OS BERSERKIR

Viking Berserkers.
Louis-Moe, 1898.

Os berserkir não são propriamente heróis, inclusive há casos de eles serem tratados como criminosos e assassinos. Apesar disso, alguns desses homens se tornaram heróis. A palavra *"berserker"* normalmente é traduzida como "camisa de urso" devido à condição de que, em algumas sagas, esses guerreiros usavam uma capa ou manto de pele de urso. A "Saga de Hrolfi Kraka" alude bem a essa característica ao associar o berserker ao urso, pois essa narrativa diz que Hrolfi teria a suposta habilidade de conjurar sua alma, transportando-a para um urso, o qual aparecia no campo de batalha.

Todavia, deve-se considerar que não necessariamente um berserker teria sempre de estar trajado dessa forma, pois, dependendo da saga, eles são descritos vestindo-se normalmente, ou não usando cota de malha e até com o tórax desnudo, como forma de provarem sua valentia frente ao inimigo, abrindo mão da armadura. Na Heimskringla, há um relato sobre os berserkir, que lutavam apenas de calças, estando descalços também; eles estavam tão agressivos que mordiam seus escudos e rosnavam como cães.

A teoria de que tais guerreiros, como prática de algum tipo de rito, transe ou técnica hoje desconhecida, pois as fontes não definem com clareza como eles entrariam em seu furor de batalha, consumiam cogumelos não existe na mitologia; trata-se de uma teoria proposta no século XIX, mas que ganhou fama no imaginário do século XX. Vários pesquisadores, porém, contestam-na, primeiro porque não há menções nas sagas de berserkir comendo cogumelos, segundo porque o consumo de cogumelos alucinógenos pode mais prejudicar do que ajudar na hora da batalha, causando efeitos colaterais como vômito, náusea, desmaio, desorientação, diarreia, indisposição etc.; por isso, a teoria é descartada. Outras teorias sugerem o uso de bebidas alcoólicas misturadas com algumas ervas para gerar um estado de adrenalina, o que parece fazer um pouco mais de sentido.

Embora não se saiba como ativavam seu furor do urso (berserkergangr), os berserkir eram conhecidos por serem bastante agressivos e perigosos tanto para os inimigos quanto para os aliados e familiares, pois há relatos de berserkir que se descontrolaram e atacaram familiares e amigos. Devido a essa fúria impetuosa, tais guerreiros eram vistos com desconfiança, como relatam algumas sagas. Mas, apesar dessa desconfiança, em que pesava a preocupação de que um berserker não perdesse o controle, há narrativas em que eles são valorizados como exímios guerreiros, dignos de atos heroicos, lembrando que heroísmo aqui estaria associado a feitos de guerra.

O guerreiro Egil Skallagrimsson é provavelmente o mais famoso berserker as sagas islandesas. Egil, cujas façanhas foram narradas na saga que leva seu nome, atua como uma espécie de anti-herói na concepção atual do termo, já que, na saga, ele realiza façanhas militares dignas de serem rememoradas, mas também por sua arrogância, age de forma imprudente e criminosa.

Na "Saga de Hervör e Heidrek", anteriormente citada, se informa que a protagonista era filha de um berserker chamado Arngrim de Bolmsö, o qual tinha obtido uma espada mágica de nome Tyrfing (Presa de Tyr). Nessa narrativa, Arngrim gerou muitos filhos, e todos os varões se tornaram berserkir; as mulheres, no entanto, não detinham esse direito. Mesmo assim, Hervör decidiu se tornar uma guerreira, ignorando não poder ser uma berserker. Esse exemplo é interessante, pois mostra que havia casos de famílias em que os homens conseguiam herdar, de alguma forma, a habilidade do furor do urso.

Os historiadores têm dúvidas se os berserkir realmente existiram como são citados nas sagas, pois há representações iconográficas que mostram homens usando peles de urso, lobo e até de javali. Uma das hipóteses é que as sagas romantizaram a figura desses guerreiros, atribuindo características mais heroicas e trágicas a esses homens que usavam peles de animais e eram conhecidos por serem furiosos.

OS ULFHEDNAR

A palavra *"ulfdhinn"* significa "manto de lobo", uma referência também ao vestuário utilizado por esses guerreiros, que usariam peles como capas ou mantos. O ulfdhinn (ou ulfhednar no plural) era um guerreiro similar aos berserkir em bravura e fúria, não havendo uma distinção de força entre ambos; o que mudava era que esses evocavam a força marcial do lobo, ao passo que os berserkir faziam isso com os ursos.

Diferentemente dos berserkir, que ficaram mais populares, os ulfhednar aparecem pouco nas sagas. Uma das aparições mais famosas ocorre na "Saga dos Volsungos", no capítulo VIII, o qual narra que Sigmund e seu filho bastardo, Sinfiotli, tornam-se ulfhednar para atacar os inimigos que mataram Volsung, o pai de Sigmund. Embora essa parte da saga seja exaltada, pois os dois valorosos guerreiros da linhagem dos Volsungos vingaram a morte do fundador daquela família, após a vingança, eles praticaram atos cruéis, o que apresenta o caráter ambíguo dado aos ulfhednar. O mesmo também se aplica aos berserkir.

Posteriormente na narrativa, Sigmund e Sinfiotli se tornaram homens agressivos e perigosos, a ponto de arranjarem problemas e desconfiança com sua família. De qualquer forma, não se sabe como os ulfhednar conseguiriam seu furor animal, pois as narrativas míticas não explicam isso. No caso da "Saga dos Volsungos", pai e filho apenas vestiram mantos de lobo e entraram em estado agressivo.

A "Saga de Egil" cita um homem chamado Kveldulf que se transformaria em lobo durante a noite. Por um lado, pode parecer uma referência ao lobisomem, mas, no caso, Kveldulf era um ulfdhinn, e suas habilidades marciais apenas eram ativadas durante a noite; o motivo disso não é explicado. Por outro lado, é dito que o rei Haroldo Cabelo Belo teria entre seus guardas alguns ulfhednar constantemente aptos a lutar, mas que jamais entravam em furor a ponto de ficarem descontrolados, o que revela novamente a condição de não se saber como esse poder era ativado.

Assim como os berserkir, a figura dos ulfhednar foi romanceada nas sagas, não se sabendo historicamente como eles agiam, como se organizavam e as impressões sociais que se tinha sobre eles. Além disso, outros povos europeus, como os germânicos, celtas e romanos, também faziam uso de peles de lobo, não sendo algo exclusivo dos nórdicos.

Feiticeiros, retratando ulfheðnar realizando um ritual.
Nicholas K. Roerich, 1905.

AS DONZELAS DE ESCUDO

As donzelas de escudo (*skjaldmær*) se popularizaram no século XX e XXI por meio dos quadrinhos, livros, jogos de videogame e seriados, aumentando bastante a procura por informações sobre essas guerreiras que pouco aparecem na literatura escandinava, suscitando inclusive teorias sobre sua existência.

O problema é que nem se sabe ao certo se os berserkir e os ulfhednar eram historicamente iguais ao descrito nas sagas, já que, por se tratarem de obras que apresentam também caráter ficcional, não se pode dizer nem que esses tipos de guerreiros foram reais nem que foram apenas invenções literárias. E o mesmo ocorre com as donzelas de escudo, personagens apenas citadas na literatura. Embora tenha-se encontrado alguns túmulos de supostas guerreiras, são dados incertos que demandam melhor análise para se chegar a conclusões mais seguras.

De qualquer forma, há poucas donzelas de escudo citadas nas sagas. A mais famosa hoje em dia, devido à série *Vikings*, é Lagertha, que só aparece na *Gesta Danorum*, havendo poucas informações sobre ela. Esse relato informa que Lagertha faria parte da corte do rei Sigurd Hring, avô de Ragnar Lothbrok, e que, após o rei ter sido assassinado e seu reino, usurpado pelo rei Fro, Lagertha se posicionou contrária às exigências feitas pelo novo monarca, aliando-se a Ragnar e seus guerreiros e partindo para a guerra.

Lagertha é descrita como bela e valente, e isso atraiu a atenção de Ragnar, que a desposou em seguida. Todavia, após o divórcio, Lagertha some da história. Um dado importante a ser mencionado é que ela foi guerreira apenas pontualmente; depois que se casou, tornou-se dona de casa. Essa condição é vista também na "Saga de Hervör", em que a primeira Hervör, a qual não queria ser dona de casa e ansiava por aventura, decidiu se tornar uma donzela de escudo e procurar pela espada mágica de seu avô. Após algum tempo como guerreira, Hervör decidiu se "aposentar" para assumir suas funções domésticas.

Lagertha. Morris Meredith Williams, 1913.

Uma terceira donzela de escudo a ser mencionada é a própria Brunilda (por vezes considerada uma valquíria), a qual aparece na "Saga dos Volsungos" e em alguns poemas da *Edda poética*. Brunilda é descrita usando elmo, cota de malha, espada e escudo, mas curiosamente, em momento algum, ela aparece lutando, diferentemente de Lagertha e Hervör. Apesar disso, ela é tida como uma hábil guerreira. Brunilda era descrita como uma mulher virtuosa e de grande beleza, além de sábia por conceder conselhos a Sigurd.

Outras duas donzelas de escudo eram Sigrun e Sváva, as quais aparecem nos poemas que abordam Helgi Hundingsbane. Nessas narrativas, Sigrun e Sváva são referidas como valquírias. Aqui citamos um problema que é apontado por alguns mitólogos, que dizem que, em alguns mitos, as valquírias e as donzelas de escudo se confundem. Mas isso seria uma confusão literária, pois ambas são figuras mitológicas distintas, já que as valquírias teriam uma origem divina, e as donzelas de escudo eram mulheres comuns.

Brunilda. Árpád Basch, 1900.

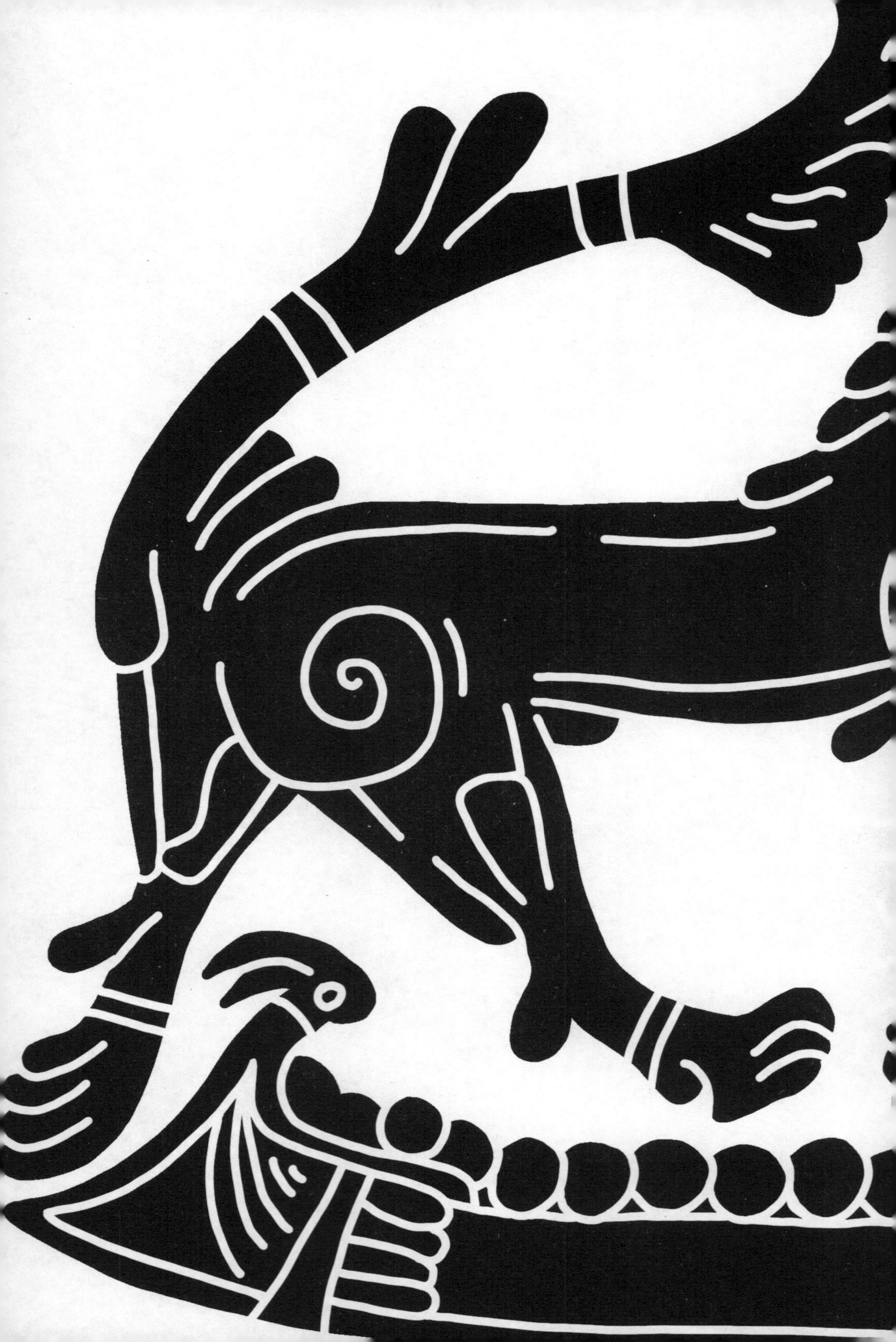

VI

ANIMAIS DOS MITOS

Odin sendo atacado por Fenrir. Pedra de Ledberg, Suécia.

TANNGRISNIR E TANNGNJÓSTR

A pesar de sua bravura e força, Thor não tinha como símbolo animal o lobo ou o urso, animais associados a seu pai, Odin, por ser ele uma divindade da guerra; estranhamente, para nós, hoje em dia, o deus do trovão era associado aos bodes. Alguns mitólogos apontam que essa associação se deve a uma série de simbolismos, como a barba, a cabeçada comparada à martelada, o temperamento conflituoso (bodes podem ser territoriais), a habilidade desses animais em escalar montanhas e atravessar terrenos difíceis (Thor costumava viajar a pé), a capacidade de prever quando choveria (Thor era um deus associado às chuvas e tempestades), e a virilidade e o mundo rural que os bodes simbolizavam (Thor era um deus ligado a tais características).

Por essas atribuições, o bode foi escolhido pelos antigos nórdicos como animal símbolo do deus do trovão; e isso era algo tão marcante a ponto de que, nos poemas "Hymiskvida" e "Thrymskvida", o deus Thor era conhecido pelo epíteto "o senhor dos bodes" (*hafra dróttin*).

No caso, o deus do trovão tinha dois bodes que usava para puxar sua carroça, a qual voava pelo céu. Vale ressalvar que, embora tivesse uma carroça que pudesse voar, os mitos costumam relatar que Thor era um homem que preferia viajar com as próprias pernas, dispensando o uso desse meio de transporte e de cavalos. De qualquer forma, seus dois bodes eram chamados de Tanngrisnir (Dente que mói) e Tanngnjóstr (Dente que rasga).

Os dois animais são citados raramente nos mitos, sendo o maior destaque dado a eles na narrativa que conta a viagem de Thor e Loki para Jotunheim, preservada na *Edda em prosa*, a qual pode ser lida na seção "Mitos selecionados".

Donar-Thor. Max Friedrich Koch, 1905.

HUGIN E MUNIN

Hugin (Pensamento) e Munin (Memória), embora sejam conhecidas por serem os dois corvos do deus Odin, responsáveis por lhe passar informações sobre os mundos, essas duas aves não possuem nenhum mito de destaque e somente são citadas brevemente nas *Eddas*. Ainda assim, elas são tão marcantes que representações medievais do deus Odin costumam mostrá-las na companhia de seus corvos. Além disso, um dos epítetos dele era Hrafnaguð (Deus-corvo).

Deus nórdico Odin em seu trono, ladeado pelos seus dois lobos, Geri e Freki, e seus dois corvos, Hugin e Munin. Ludwig Pietsch, 1874.

Apesar de os corvos, entre os nórdicos da Era Viking, serem aves associadas ao campo de batalha por atuarem como carniceiros, a ponto de haver rimas e metáforas aludindo a isso, condição que os tornou sinistros e de mau agouro entre alguns povos, eles não necessariamente teriam um simbolismo apenas negativo.

Hugin e Munin não apresentam uma conexão direta com o campo de batalha, mas estão indiretamente associados a essa condição, devido a Odin ser um deus da guerra e padroeiro dos guerreiros. Contudo, essencialmente esses dois corvos tinham um sentido positivo na mitologia: eram os olhos e ouvidos do pai dos deuses, pois, por não serem oniscientes, os deuses nórdicos precisavam de outros meios para obter informações, condição essa que justificava o próprio Odin ir visitar Mimir para receber conselhos. Dessa forma, Hugin e Munin atuavam como seus informantes.

A escolha dos corvos, porém, não se deve apenas a seu simbolismo associado aos mortos e à atuação como carniceiros, conforme mencionado; corvos estão entre as aves mais inteligentes, as quais conseguem fazer uso de objetos simples, além de terem uma capacidade de memorização e conseguirem pronunciar palavras, como os papagaios, o que os torna mais eficientes do que águias e falcões para servirem de informantes.

LOBOS

Na mitologia nórdica, em se tratando de animais, provavelmente o que melhor a define é o lobo. Esse canídeo que abundou na Europa durante a Antiguidade e o Medievo, e até mesmo assombrou povoações em plena Idade Moderna, tornou-se símbolo por excelência dos mitos nórdicos.

Mas, embora sejam citados em diferentes mitos, três lobos se destacam: Fenrir e seus filhos, Skoll e Hati. Fenrir é um dos filhos de Loki e da giganta Angrboda, sendo irmão de Jormungand e Hel; teve dois filhos, Skoll (Traição) e Hati (Inimigo), os quais são lembrados principalmente por terem perseguido a deusa Sól e seu irmão, o deus Mani, os quais personificavam o Sol e a Lua. Nesse sentido, os dois lobos representariam a ameaça dos eclipses, pois acreditava-se que, quando um eclipse solar ou lunar ocorria, significava que um dos lobos estava próximo o suficiente para devorar um dos astros, gerando apreensão. De fato, entre diferentes culturas do mundo, eclipses muitas vezes eram encarados como mau presságio; para os nórdicos, eles teriam tido esse significado negativo também, algo reproduzido no mito de Skoll e Hati. Todavia, a *Edda em prosa*, ao narrar o *Ragnarök*, informa que, durante esse evento, os dois lobos finalmente conseguiriam matar suas presas, fazendo com que o mundo caísse em trevas.

O nome Fenrir significa "morador do poço", uma referência à condição de que esse animal passou sua vida vivendo em cavernas. As principais referências sobre ele se encontram no "Gylfaginning", da *Edda em prosa*, em que se narra que Fenrir conseguiu romper duas vezes as correntes que o aprisionavam, e, com isso, os deuses o enviaram para uma terceira e profunda caverna, onde anões forjaram uma estranha corrente, fina como um fio de prata, chamada Gleipnir, com a qual finalmente o lobo gigante foi aprisionado. Fenrir permaneceria preso até o *Ragnarök*, quando conseguiria se libertar e iria atrás dos deuses, sobretudo de Odin, o responsável por condená-lo a uma vida de cárcere. Durante o conflito, o lobo mataria Odin, mas seria morto por Vidar.

Além desses três lobos pertencentes à linhagem de Loki, os mitos narram a existência de outros dois lobos pouco lembrados, Geri e Freki, os lobos de estimação de Odin. Eles vivem em Valhalla e costumam se alimentar dos pedaços de carne e de ossos que Odin lhes dá, já que, como dizem, o deus prefere apreciar hidromel em vez de comida durante os banquetes.

Odin e Fenrir. Dorothy Hardy, 1909.

SERPENTES E DRAGÕES

Na mitologia nórdica, as serpentes e os dragões se confundiam, pois os dragões eram descritos como serpentes gigantes, um conceito advindo da Grécia Antiga, já que a palavra "*drakon*", da qual se originou "dragão", significava "serpente gigante". Entretanto, em algumas sagas e no poema "Beowulf", os dragões mencionados tinham quatro patas, asas e cuspiriam fogo.

A respeito das serpentes, o poema "Grimnísmál" relata que o subterrâneo seria infestado de cobras, as quais roeriam as raízes da Yggdrasil. Esse poema também menciona o nome de algumas dessas cobras, sendo elas: Góinn, Móinn, Grafvitnir Grábakr, Grafvolluðr, Ófnir e Sváfnir. Não se sabe se essas cobras teriam algum papel importante em algum mito, hoje desconhecido, pois não são citadas em outro canto. No entanto, a serpente subterrânea mais conhecida era Nidhogg.

O nome Nidhogg significa "atacante malicioso"; consistia numa grande serpente (por isso chamado de dragão por alguns). No poema "Grimnísmál", é dito que Nidhogg tinha uma rivalidade com a águia Hræsvelgr, que ficava empoleirada no topo da Yggdrasil, e um esquilo chamado Ratatoskr era o responsável por levar a troca de ofensas entre os dois, mas os mitos não informam o motivo dessa rixa. Além disso, o mesmo poema coloca Nidhogg ao lado de outras serpentes, as quais roeriam as raízes da Yggdrasil para tentar derrubá-la, o que torna esse dragão um ser perigoso.

Na estrofe 39 do "Völuspá" e no capítulo 52 do "Gylfaginning", Nidhogg também é associado a Náströnd, um dos mundos dos mortos; lá ele tem outra função, atuando como punidor dos mortos. Por fim, há um outro elemento a ser comentado sobre esse dragão. Enquanto ele é descrito como uma grande serpente, a última estrofe do "Völuspá" narra que Nidhogg teria asas e patas, pois carregaria os mortos em suas garras ao sobrevoar um vale sombrio, conduzindo-os ao submundo. Observa-se, assim, que essa estrofe possivelmente fazia parte de outra narrativa, hoje desconhecida, a qual descrevia Nidhogg não como um dragão-serpente, mas como um dragão alado.

No entanto, a serpente mais famosa da mitologia nórdica é Jormungand, cujo nome significa "grande vara", uma referência simbólica a esse animal por estar vinculado a princípios de ordem, sustentação e equilíbrio cósmico. Ele era um dos três filhos de Loki e Angrboda, e ainda cedo foi banido por Odin para habitar as profundezas do oceano. Isso é interessante, pois as outras serpentes citadas viviam no subterrâneo, mas Jormungand era uma serpente marinha.

A criatura era chamada de Serpente do Mundo e Serpente de Midgard, ambos seus epítetos mais conhecidos, porém, em alguns poemas, também se referiam a ela com metáforas sobre seu tamanho e condição, a de morder a cauda, como "cinta de todas as terras", "colar da terra", "peixe que a todas as águas contorna" e "círculo do caminho íngreme". De acordo com o relato mitológico, Jormungand cresceu tanto a ponto de circundar o mundo e morder a própria cauda, algo que lembra o simbolismo do ouroboros.

Apesar de ser a serpente mais conhecida, Jormungand tem importância em apenas dois mitos específicos: o primeiro, o da pescaria, que tem diferentes versões, numa das quais narra-se que Thor conseguiu capturar e abater a serpente; nas versões mais conhecidas, porém, diz-se que a serpente conseguiu escapar. O segundo mito em que Jormungand tem importância diz respeito à sua participação durante o *Ragnarök*, em que, na batalha final, ela e Thor lutarão e morrerão.

Além disso, sublinha-se que a luta de Jormungand também provocaria desastres naturais, como enchentes, maremotos e o derramamento de veneno mortífero da serpente sobre os exércitos, condição essa que mataria envenenado inclusive Thor.

Quanto ao dragão mais famoso da mitologia nórdica, Fafnir, era descrito como uma serpente gigante, pois a "Saga dos Volsungos" e o poema "Fafnirsmál" (Cantar de Fafnir) informam que esse dragão rastejava. A história de Fafnir é interessante, pois originalmente ele não era um monstro, mas um anão que fora amaldiçoado com a Maldição do Ouro envolvendo sua família. Devido à sua ganância, ele roubou a herança do pai e dos irmãos, escondendo o tesouro numa caverna, mas acabou se transformando num dragão condenado a passar o resto da vida morando naquele lugar sombrio, sem poder desfrutar da sua riqueza.

Em dado momento, um dos irmãos de Fafnir, o ferreiro Regin, incentiva seu pupilo, o herói Sigurd, a matá-lo e roubar o tesouro. Sigurd consegue derrotar Fafnir com facilidade, escondendo-se num buraco no chão e apunhalando a barriga do monstro, seu ponto fraco. Apesar de esse mito não contar com uma luta empolgante, Fafnir é o dragão nórdico mais famoso, seja por ser mencionado em várias versões, seja por aparecer em representações iconográficas contidas em pedras rúnicas, cruzes de pedras e até mesmo ornamentações, o que revela a popularidade da narrativa.

Também se sublinha que a condição de Fafnir, guardar um tesouro dormindo sobre ele, influenciou a criação de *kenningar* como *ormbeþs* ("cama da serpente"), uma metáfora para ouro. Essa característica é tão marcante que o dragão de "Beowulf" e de outras sagas tardias também aparecem guardando tesouros (Tolkien inclusive se inspirou nessa ideia para criar Smaug, em *O Hobbit* (1934).

Além disso, o sangue e a carne de Fafnir continham habilidades especiais, pois Sigurd, ao se banhar com ele, recebeu uma proteção mágica e, ao comer o coração do dragão, recebeu o dom de entender a língua dos pássaros (algo considerado um dom de sabedoria). De acordo com alguns mitos e lendas, consumir carne de dragão concederia habilidades especiais, por ser considerada uma carne repleta de elementos mágicos.

Jörmungandr no mar durante o Ragnarök.
Louis Moe, 1898.

CAVALOS

Os cavalos não têm grande destaque nos mitos nórdicos, exceto Sleipnir, o cavalo de oito patas que voava e era considerado o mais veloz dos cavalos dos deuses. Sleipnir era um dos filhos de Loki, e sua origem é narrada na *Edda em prosa*, no mito da construção da muralha de Asgard, em que Loki se transforma numa égua para atrair o cavalo Svadilfari, fazendo com que ele não leve o último carregamento de pedras para que seu dono possa concluir a construção da muralha.

Transformado em égua, Loki acabou engravidando de Svadilfari e deu à luz um potro de oito patas, o qual foi dado de presente a Odin. Além do rei dos deuses, o deus Hermord chegou a cavalgar Sleipnir para viajar até Helheim e solicitar à deusa Hel que permitisse que Balder fosse ressuscitado. Esses são alguns dos mitos mais conhecidos que destacam Sleipnir, o de sua origem e o de sua viagem a Helheim.

Odin cavalga a Hel. W. G. Collingwood, 1908.

O poema "Grimnísmál" lista o nome de alguns dos cavalos dos deuses: Glaðr (Contente), Gyllir (Dourado), Glær (Leve), Skeiðbrimir (Notável na Disputa), Silfrintoppr (Crina Prateada), Sinir (Musculoso), Gísl (Brilhante), Falhófnir (Cascos Escondidos), Gulltoppr (Crina Dourada) e Léttfet (Veloz). No entanto, a obra não informa quem seriam os donos desses cavalos.

Vários outros cavalos são mencionados na *Edda em prosa*, livro que informa que Gulltoppr seria o cavalo de Heimdall, Hrimfaxi (Crina de Gelo), o da deusa da noite, Nótt, e Skinfaxi (Crina Brilhante), o do deus do dia, Dagr. Por sua vez, a carroça da deusa Sól era puxada pelos cavalos Árvakr (Despertar Suave) e Alsvidr (Muito Veloz), o deus Mani tinha um cavalo chamado Alsvinder, e os cavalos de Freyja se chamavam Gná e Hófvarpnir.

Além de serem meios de transporte e de tração (para puxar carroças, objetos, arados, cargas etc.), os cavalos eram animais que simbolizavam status social. Na sociedade nórdica da Era Viking, ter um bom cavalo ou vários deles era sinal de riqueza e influência, sobretudo se você tivesse vários guerreiros para montá-los. Além disso, os animais eram usados para fins religiosos, sendo sacrificados. Inclusive, o deus Balder e o herói Sigurd, quando foram cremados, tiveram os cavalos sacrificados durante o rito fúnebre.

OUTROS ANIMAIS

Além dos bodes, corvos, lobos, serpentes, dragões e cavalos, os mitos nórdicos têm vários outros animais, mas a maioria aparece brevemente ou apenas é citada. Sendo assim, enumeramos alguns desses outros animais: temos Audumla, a vaca primordial, cuja origem é desconhecida, mas é o primeiro animal a ser citado no mito de origem do universo na mitologia nórdica. O destaque dessa vaca era a condição de ela nutrir o gigante Ymir, o primeiro ser surgido. Outro animal que citamos é o cachorro, chamado Garm, que habitava Helheim. Ele atuava como um cão de guarda e apareceu poucas vezes, sendo descrito como um cão feroz cujo coração ficava visível sob a pele. De acordo com o "Völuspá", ele latiria três vezes alertando para o início do *Ragnarök*. Já de acordo com a *Edda em prosa*, Garm seria levado para o campo de batalha e atacaria o deus Tyr, matando-o.

A deusa Freyja é citada tendo dois gatos, os quais puxariam sua carroça (embora ela também tivesse cavalos para isso). No entanto, o nome dos bichos é desconhecido, pois as fontes mitológicas não os citam. Além dos felinos e dos equinos, Freyja também tinha um javali de estimação chamado Hildisvíni (Porca de Guerra); seu irmão, Freyr, também tinha um javali, sendo este feito de ouro e chamado Gullinbursti (Cerdas Douradas). Aqui se faz necessário explicar aos leitores por que os javalis eram associados a Freyr e Freyja, mas não a Odin, Thor e outros deuses.

Os javalis eram animais que simbolizavam bravura, ferocidade, nobreza da caça, mas também fertilidade. Os irmãos Freyr e Freyja eram deuses que representavam a fertilidade e a caça, pela condição de pertencerem à família dos Vanes; além disso, eram deuses que representavam a nobreza. Na Suécia, eram bastante cultuados em algumas épocas, e, de acordo com alguns mitos, alguns reis suecos e noruegueses seriam descendentes de filhos de Freyr. Por fim, javalis também eram animais associados à guerra. Freyr e Freyja não eram divindades guerreiras, mas Freyja estava associada aos guerreiros, pois recebia a alma deles no seu salão.

O poema "Grimnísmál" cita cinco cervos que comiam as folhas e os ramos da Yggdrasil chamados Dáinn, Dvalinn, Duneyrr, Duraþrór e Eikþyrnir. Dentre todos, destacamos o último, pois, de seus chifres, gotejaria pura água, que cairia no lago Hvergelmir, tido como a nascente de todos os rios. Esses cervos não tinham destaque nos mitos, sendo citados apenas nesse poema e na *Edda em prosa*. Mas, simbolicamente, os cervos eram animais que representavam a natureza, a pureza, a fertilidade, a caça real, os governantes. Se considerarmos que eles estariam situados talvez em Asgard, poderão ser simbolismos que combinam com o mundo dos deuses.

Em Valhalla, viveria a cabra Heidrun, que forneceria hidromel em vez de leite, abastecendo o salão, e o javali Sæhrímnir, que era todos os dias abatido para ser servido nas refeições e, no dia seguinte, ressuscitado. Nota-se aqui a ideia de como Valhalla tinha uma fonte quase infinita de hidromel e carne. Além desses dois animais, viveriam no salão Hugin e Munin, Geri e Freki, Sleipnir.

Embora ursos sejam admirados e até associados com os vikings, curiosamente eles não possuem destaque na mitologia nórdica. Com exceção da menção a alguns berserkir, como Bödvar Bjarki, que incorpora sua alma no corpo de um urso, algo citado na "Saga de Rolf Kraki" (Hrólfr Kraki saga), que narra a história de um rei lendário da Dinamarca. Entretanto, o urso não aparece em outras narrativas de destaque. O motivo desse animal não ter maior relevância nesta mitologia é desconhecido.

No caso das águias, falcões e cisnes, esses são citados também brevemente e sem destaque próprio. Temos a águia gigante Hræsvelgr, a qual vive no topo da Yggdrasil e causa as ventanias. Seu único papel conhecido é esse, além de que ela trocava insultos com o dragão Nidhogg, embora não se saiba por qual motivo (os insultos eram transmitidos pelo esquilo Ratatoskr). Já os falcões foram citados brevemente, mas vale destacar que os nórdicos já praticavam a falcoaria (caça com falcões e outras aves de rapina), sendo uma prática considerada reservada à elite. Um dado curioso é que a deusa Freyja tinha um manto feito de penas de falcão, com o qual poderia voar.

A respeito dos cisnes, esses aparecem pouco, sendo aves ligadas às donzelas, à virgindade e à pureza. No mito de Volund (que é narrado no poema "Völundarkviða"), o herói e seus dois irmãos, Slágfild e Egil, certo dia avistam três belas mulheres banhando-se no lago Ulfdalir (Lago do Lobo). Hládgud Svanhit, Hérvor Alvit e Olrun eram filhas do rei Hlódver e tinham o poder de se transformarem em cisnes e valquírias encarnadas. Os três irmãos acabaram se casando com as três irmãs. Esse mito é uma das principais menções à presença dos cisnes, embora haja, no folclore escandinavo, outras histórias sobre eles.

Outras aves que ganham um pouco de destaque na mitologia nórdica foram os galos. No "Völuspá", temos a menção a três galos, os quais cantam anunciando o *Ragnarök*. O primeiro se chama Fjalar (Enganador) e vive em Jotunheim; o segundo se chama Gullinkambi (Crista Dourada) e vive em Valhalla; o terceiro, que não recebe nome, mas é descrito como tendo a cor de ferrugem, vive em Helheim.

Para finalizar essa parte, comentaremos alguns animais associados a Loki. No caso, sabemos que Loki é o pai de três animais: um lobo, uma cobra e um cavalo. Tal condição se deve a ele ser um *trickster*, criatura encontrada em algumas mitologias que tem capacidades de mudar de forma, gênero e sexo, além de ser astuta, inteligente e travessa. Isso explica muito a condição de Loki ser um dos poucos gigantes pai de animais.

Entretanto, ele está associado a outros bichos também. No mito sobre a criação do Mjölnir, Loki se transforma numa mosca para atrapalhar os anões Brokk e Eitri, e o resultado é que o martelo é forjado com cabo curto. Loki volta a se transformar em mosca também em outra narrativa, quando rouba o colar Brisingamen da deusa Freyja.

Já no poema "Lokasenna", após afrontar os deuses, Loki foge e se esconde num rio, transformando-se num salmão. A escolha desse peixe não foi por acaso, pois naquele rio havia uma cachoeira e sua correnteza era forte, porém, salmões são peixes conhecidos por sua capacidade de nadar contra a corrente e até conseguir saltar pequenas cachoeiras. Por tal condição, Loki consegue despistar os deuses algumas vezes antes de ser capturado por uma rede de pesca.

Outro momento no qual ele é associado a animais é a morte acidental do anão Ótr, que costumava se transformar numa lontra para pescar. Loki, que estava com fome, mata a lontra, mas descobre que era um anão transformado, e isso gerou problemas para ele. Além do mais, Ótr era um dos irmãos de Fafnir, uma família de anões bastante complicada e atormentada por tragédias.

Hel. Johannes Gehrts, 1889.

VII
ESPÍRITOS DE PROTEÇÃO

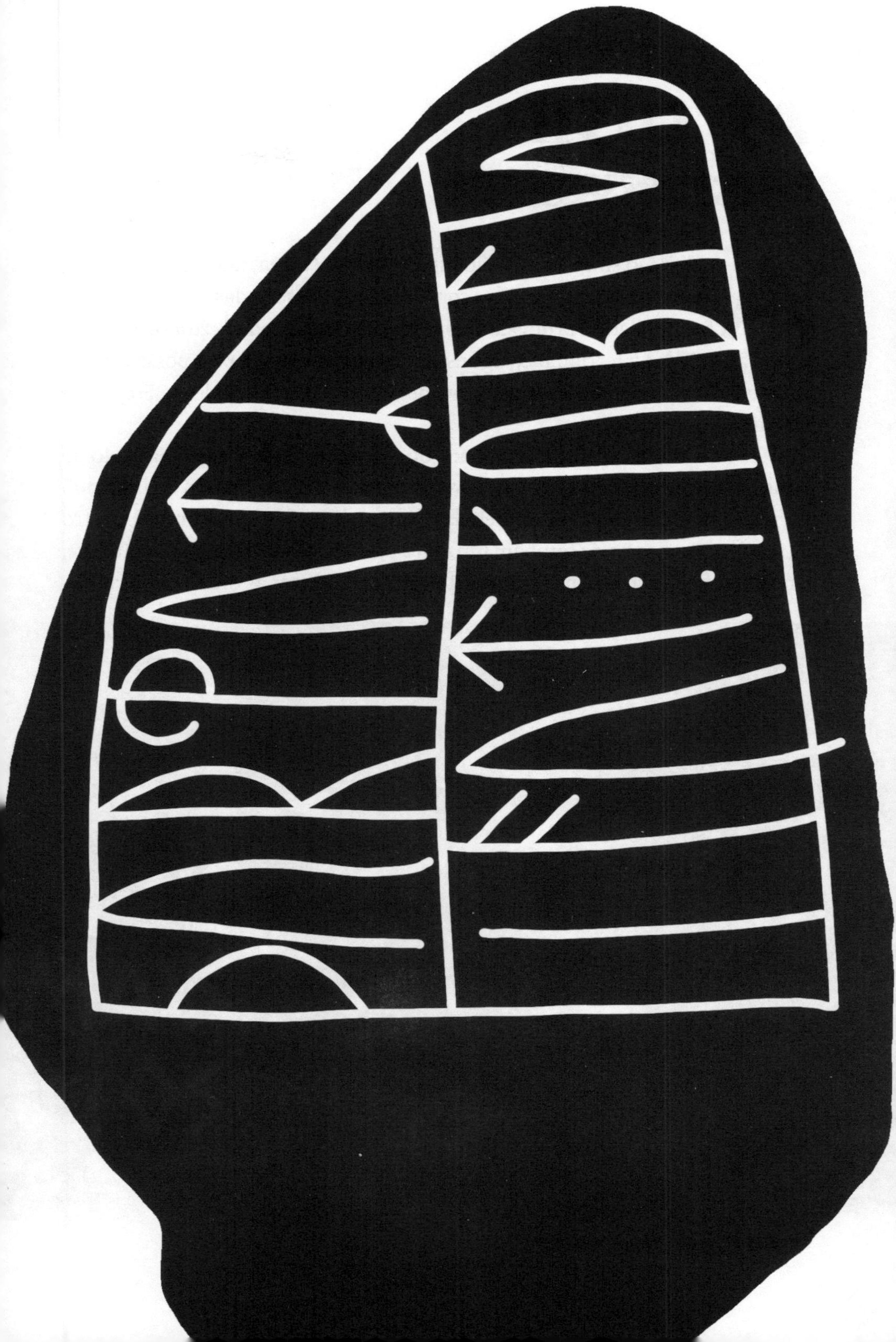

AS DÍSIR

As *dísir* (no singular, *dís*) são espíritos da natureza, mas com a característica de serem referidas como mulheres associadas à fertilidade e à fecundidade. Há dúvida se elas seriam consideradas *vættir* ou não. Por serem associadas à fertilidade, alguns mitólogos as consideram possivelmente vinculadas aos deuses Vanes, motivo pelo qual o epíteto da deusa Freyja era Vanadis (Dís dos Vanes).

As *dísir* eram espíritos femininos que recebiam culto, este chamado de dísablot, que ocorria na época do inverno, nas chamadas "noites de inverno". O culto envolvia o consumo de bebidas e era realizado principalmente dentro da residência, mas havia também um culto público, sendo realizado ao ar livre, em que se fazia uso de um *disarsal* (altar) para se colocar as oferendas às *dísir*.

The dísablót. August Malmström, 1901.

Esse culto seria praticado para invocar a proteção desses espíritos femininos, a fim de garantir o bem-estar da família e da comunidade durante os meses frios do inverno, pedindo que não faltasse comida, ninguém adoecesse e a primavera chegasse o quanto antes.

AS FYLGJUR

"The White Lady".
GaspOrium no deviantART.

A palavra "*fylgja*" significa "aquela que segue" ou "aquela que acompanha", um conceito que se encaixa bem na função desses espíritos. Assim como as valquírias e as *dísir*, as *fylgjur* eram espíritos femininos, descritas como belas e jovens mulheres; no entanto, diferentemente dessas, as *fylgjur* poderiam assumir forma de animais, aparecendo em presságios, visões ou sonhos. Nas sagas, existem vários nomes atribuídos a esses espíritos protetores, como *mannflygja* (*fylgja* do homem ou *fylgja* pessoal), *ófridarfylgjur* (*fylgjur*-agitadas), *óvinarfylgjur* (*fylgjur*-adversárias), *draumkona* (mulher do sonho), *aettarfylgja*, *kynfylgja* etc.

A função da *fylgja* estava ligada essencialmente à proteção, mas à proteção individual, em que os relatos são de que cada pessoa teria uma *fylgja* que a acompanharia ao longo da vida. Nesse sentido, do ponto de vista do cristianismo católico, a *fylgja* se assemelha à ideia de anjo da guarda. No entanto, existem relatos de *fylgjur* que protegeriam famílias e casas. Segundo eles, presentes em algumas sagas, geralmente a pessoa nunca via sua *fylgja*, exceto se tivesse algum dom mágico ou a *fylgja* decidisse aparecer para o protegido. Em alguns casos, elas poderiam aparecer nos sonhos, em forma humana ou animal, como águias, lobos, ursos, cervos, cisnes, cavalos etc. As *fylgjur* vistas em sonhos eram referidas como *draumkona*.

Outra crença envolvendo as *fylgjur* dizia respeito ao temor em vê-las, pois, de acordo com essa crença, ver a própria *fylgja* era um mau presságio, já que significava que a pessoa estava para morrer, e a *fylgja* aparecia para anunciar a morte.

Há um caso interessante também referente à condição de que algumas *fylgjur* poderiam atacar os inimigos de seus protegidos; por isso, elas eram chamadas de *ófridarfylgjur* (*fylgjur*-agitadas), *óvinarfylgjur* (*fylgjur*-adversárias). Embora os mitos não expliquem com clareza como isso ocorreria, as raras menções que temos são das *fylgjur* causando algum malefício ou espanto para afastar os inimigos.

AS HAMINGJUR

A *hamingja* é um tipo de espírito que divide opiniões. Alguns mitólogos as consideram uma variação das *fylgjur* ou das nornas, ou mesmo entidades personificando a boa sorte; e há quem sugira que não seriam espíritos, mas apenas a ideia de sorte num sentido figurativo. De qualquer forma, essa problemática se dificulta devido à escassez de menções a esse espírito, que é pouco citado nos mitos.

A *hamingja* seria a personificação da boa sorte e inclusive poderia ser passada de um indivíduo a outro, pois, na concepção escandinava, a sorte seria um espírito que acompanharia a pessoa, embora não se saiba exatamente como essa troca poderia ocorrer.

AS SERPENTES DO LAR

Outro tipo de espírito de proteção eram as serpentes do lar, ou serpentes domésticas, chamadas na Suécia de *tomtorm*. A crença nesses espíritos ofídicos foi mais restrita a algumas localidades suecas e dinamarquesas, embora não estivesse restrita à Escandinávia, pois relatos sobre esses animais sagrados também foram encontrados pela Alemanha, Holanda, Letônia, Estônia, Rússia, Polônia e Hungria.

A crença na serpente do lar tinha suas variações conforme o lugar e a época, mas, em geral, dizia-se que esse espírito teria características diferentes das de uma cobra comum, fosse por sua cor, fosse por normalmente ter na cabeça uma protuberância que lembraria chifres ou uma coroa. Segundo alguns mitos, haveria apenas uma cobra nas casas; já em outras versões, duas cobras guardando o lar.

Não se sabe exatamente como esses espíritos eram convidados e, quando entravam na casa, não eram vistos, mas gostavam de locais quentes, escondendo-se normalmente próximo ou abaixo do fogão ou da lareira. O *tomtorm* era nutrido com leite, deixado todos os dias pela família em uma tigela num canto da casa. Quando ninguém estava vendo, a serpente ia até lá para se alimentar.

Esse espírito manteria os males afastados, como a má sorte, doenças e outros infortúnios. Havia também a crença de que esses animais forneceriam prosperidade para a família e fertilidade para suas plantações, pois trava-se de uma crença rural, associada às casas de fazenda. Por isso, alguns relatos mencionam que essas cobras nem sempre viveriam nas casas, mas nos estábulos e currais, protegendo os animais e promovendo a sua fertilidade, de forma que as fêmeas conseguissem ficar prenhas e parir filhotes regularmente.

No livro *Gesta Danorum*, é informado que o rei Siward dos Godos mantinha duas serpentes protegendo o berço de sua filha. No mesmo livro, é dito também que o herói Ragnar Lothbrok, para disputar a mão da princesa Thora em casamento, teve de lutar contra duas serpentes que a guardavam. Esses dois casos mostram variações do mito da serpente do lar. Além disso, a crença nesses espíritos não acabou com a Idade Média, pois, no século XVI, temos relatos de escritores, padres e bispos reclamando que alguns camponeses faziam oferendas para espíritos domésticos em forma de cobra.

OS DRAUGR

Os *draugr*, também chamados de *aptrgangr* (aqueles que caminham novamente), eram espíritos de pessoas (geralmente homens) que morreram, mas voltaram como mortos-vivos ou fantasmas. Não se sabe exatamente como esse processo ocorria, mas os draugr costumavam permanecer nas tumbas e cemitérios, guardando seus restos mortais, pertences ou tesouros. Eram espíritos protetores tumulares.

Geralmente, nas sagas, os *draugr* aparecem como guerreiros, os quais conservam a aparência humana apesar de serem descritos com um aspecto muito pálido por estarem mortos. A ideia de que eles seriam fisicamente parecidos com zumbis é algo recente visto em jogos, desenhos e quadrinhos. Os *draugr* conservavam sua aparência humana, mas também sua consciência, pois falavam e conversavam normalmente; alguns até tinham conhecimentos mágicos.

Na "Saga de Hervör", a heroína conversa com o *draugr* de seu avô para poder solicitar a ele a permissão de pegar a espada mágica guardada em seu túmulo. No entanto, nem sempre os *draugr* seriam amigáveis. Existem relatos de que eles ameaçavam de morte quem chegasse aos seus túmulos ou cavernas, alguns até mesmo atacando as pessoas e lhes jogando maldições. Isso é visto em algumas narrativas, como a "Saga de Eyrbyggja", a qual descreve os *draugr* como seres feios e maléficos (nessa saga, inclusive, diz-se que, se uma pessoa for morta por um *draugr*, será transformada nessa criatura).

Na "Saga de Grettir, o Forte", este se desentende com um *draugr*, que o amaldiçoa a perder sua força. Sendo assim, observa-se que os *draugr*, apesar de serem espíritos protetores dos túmulos e cemitérios, não necessariamente seriam espíritos benéficos como as *dísir*, as *fylgjur*, as *hamingjur* e as serpentes do lar, mas espíritos que poderiam causar o mal e tinham vontade própria de querer ajudar ou não.

Escultura de gelo representando um draugr.
Museu de Oslo.

VII

CRIATURAS

TROLL

A palavra "troll" não tem significado determinado, podendo ser "espírito maligno", "criatura", "magia perversa" etc. Todavia, no século XIII, a palavra "troll" aparece em algumas sagas, e até na *Edda em prosa*, como sinônimo de gigante (jótunn). Já no século XIV, encontramos algumas sagas, como a "Saga de Grim Bochecha Peluda", empregando a palavra "troll" para se referir a criaturas feias, grandes e estúpidas. Essas três características passaram a prevalecer nas produções literárias, nas lendas e no folclore.

Possivelmente, foi a partir do século XIV que os trolls começaram a ser descritos como criaturas horrendas, grandes, às vezes disformes (grandes narizes, orelhas, cabeças, mãos e pés), selvagens, traiçoeiras e burras, os quais viveriam geralmente em cavernas nas montanhas ou no interior das florestas, saindo normalmente só à noite, pois os raios de sol os transformavam em pedra (essa condição é bastante icônica, inclusive aparecendo no livro *O Hobbit*, em que o personagem Bilbo consegue enganar os trolls enquanto espera o amanhecer, para que se transformem em pedra). Essas características se perpetuam até hoje, mas não significa que todos os trolls se encaixassem nelas.

Há trolls descritos como seres pequenos, como anões ou duendes, outros que chegam a ser realmente gigantescos (por isso a palavra ser sinônimo de gigante); alguns trolls sabiam usar a magia e eram bastante espertos ou inteligentes. Inclusive, há histórias folclóricas sobre trolls que eram bonitos. Essas criaturas também conseguiam, em alguns casos, mudar de forma, transformando-se em animais ou pessoas. Porém, há lendas que dizem que, ao se transformarem em pessoas, eles não conseguiam esconder as caudas; logo, para saber se uma pessoa era um troll disfarçado, devia-se arrumar um jeito de ele abaixar as calças ou subir o vestido para ver se ele teria uma cauda. Entretanto, há narrativas em que os trolls não são vulneráveis à luz solar, não tendo problemas em viver durante o dia. A "Saga de Grim" é um exemplo, pois nela os trolls andam durante o dia sem virar pedra.

As fêmeas dos trolls são chamadas de trolesas (trollkona) e normalmente são descritas como mulheres feias. Na "Saga de Grim" (apresentada no capítulo

"Sagas selecionadas"), vemos que os trolls daquela narrativa são todos grandes e feios, mas há casos em que as trolesas também são descritas como belas.

Nem sempre os trolls são criaturas perversas ou malignas, isso varia de acordo com a narrativa (em algumas, eles de fato são seres interesseiros, traiçoeiros e até brutos, cometendo crimes e causando males às pessoas e aos animais). Há narrativas em que eles são bons, ajudando as pessoas e até protegendo as florestas e montanhas.

Outra característica associada aos trolls é a condição de eles odiarem cristãos. Essa é uma ideia mais recente, mas que vem aparecendo em filmes com lendas de que trolls conseguiriam sentir o cheiro de cristãos, além de odiarem ver cruzes e ouvir o som do badalar de sinos e canto de louvores.

Ilustração para "O menino que nunca sentia medo".
John Bauer, 1912.

NATTMARA

Nattmara, ou *mara*, era o termo em nórdico antigo para se referir à personificação do "pesadelo". Em diferentes culturas, há a crença de que os pesadelos são causados por monstros ou espíritos sombrios; entre os nórdicos havia essa crença também. Em algumas lendas, a *nattmara* era descrita como uma mulher magricela, de cabelos pretos, longos e desgrenhados, vestida com uma camisola e tendo as unhas pretas e pontudas. Ela entrava durante a noite nas casas e se sentava no peito da pessoa, causando mal-estar e pesadelo.

O Pesadelo. Henry Fuseli, 1781.

Algumas versões dizem que ela poderia se parecer com fantasma e até mudar de forma, transformando-se em areia, fumaça, homem, animal ou mesmo adquirir um aspecto monstruoso. Algumas lendas dizem que sonhar montar cavalos ou éguas não era um bom sinal, pois poderia ser referência às maras. Isso se deve à condição de que a palavra "mara" tem um sentido etimológico parecido com o da palavra "égua" (*mari*), que alude à ideia de montaria, pois as *nattmaras* "montariam suas vítimas".

Na "Saga dos Volsungos", o rei Vanlandi Sveidgson foi assassinado por uma *nattmara* invocada por uma feiticeira a pedido da rainha Drífa. Vanlandi estava longe de casa já fazia dez anos, tendo abandonado sua esposa, que decidiu se vingar, contratando a feiticeira, que convocou uma mara para atacar o rei durante o sono, quebrando as pernas dele e esmagando sua cabeça. Essa versão é interessante, pois mostra que as maras poderiam, em alguns casos, ser invocadas por feiticeiros.

Entre os sámis, há a crença num espírito maligno chamado Deattán, que poderia se transformar em pássaro ou outro animal, para, dessa forma, chegar sorrateiramente e atacar pessoas enquanto dormiam, causando pesadelos, mal-estar e paralisia do sono.

NØKKEN

Nickr. Theodor Kittelsen, 1907.

O *nøkken*, também chamado de näcken, nixie, nicor, entre outros, era um espírito das águas, podendo ser encontrado nos mares, rios ou lagos. Em algumas versões mais antigas, essa criatura era descrita como parecida com uma serpente marinha, mas acabou ganhando outras formas. Alguns relatos o retratam semelhante às sereias e aos tritões, pois a criatura tinha um belo canto, por meio do qual atraía homens, mulheres, crianças e idosos.

Em geral, o *nøkken* poderia ser traiçoeiro como as sereias nos mitos gregos, cantando para iludir os marinheiros a irem atrás delas, o que os fazia colidir com os navios ou pular no mar e se afogar. Porém, há narrativas em que o *nøkken* não agiria de forma traiçoeira, mas cantaria para expor sua alegria. Inclusive algumas dessas criaturas poderiam até assumir a forma humana para se relacionar com os humanos. O conto *A pequena sereia* (1836), de Hans Christian Andersen, tem influência das lendas sobre o *nøkken*.

O *nøkken* poderia aparecer sob a forma de um belo cavalo branco, e, assim, era chamado de *nickr* ("cavalo do rio"). Essa versão equina era mais comum na Noruega e nas ilhas Faroé. De acordo com algumas lendas, os nickr eram cavalos traiçoeiros que as pessoas, encantadas com sua beleza, queriam acariciar, mas, ao fazê-lo, ficavam presas a eles, que as arrastavam para o fundo de lagos ou rios. Outras versões dizem que se um cavalo branco fosse visto à noite perto de um rio, seria um nickr, e isso era sinal de perigo, então o melhor seria se afastar. No entanto, segundo algumas lendas, haveria maneiras de enganar o nickr e capturá-lo, uma delas sendo desenhar uma cruz em suas costas para que o montador assumisse o controle do animal. Esses cavalos eram muito fortes e usados para arrastar grandes pedras; nas Faroé, os moradores dizem que as pedras grandes que podem ser vistas em alguns locais foram arrastadas até lá por nickr.

HAFGUFA

O *hafgufa* era um monstro marinho que diziam habitar os mares da Islândia e da Groenlândia; ele já foi confundido com o kraken, mas ambos são monstros distintos. O nome *hafgufa* significa "vapor d'água", o que poderia ser uma referência aos jatos liberados pelas baleias, já que esse monstro era descrito como uma grande criatura que conseguia facilmente engolir uma pessoa inteira e até mesmo barcos.

A crônica "Konungs skuggsjá" (Espelho do Rei) e a "Saga do arqueiro Odd" mencionam essa criatura, dizendo se tratar de um monstro bastante grande e perigoso, pois era capaz de devorar baleias e navios. O próprio Odd diz que, enquanto navegava pelo mar da Groenlândia, teria visto essa criatura, cujas presas lembravam pontiagudos rochedos.

Whale Liber de natura bestiarum.
British Library, Harley 3244, fol. 65r.

O *hafgufa* parece uma versão da lenda do aspidochelone (uma espécie de baleia ou peixe gigante), que era contada entre alguns povos, como os franceses, ingleses e irlandeses. Segundo tais lendas, essas criaturas seriam maiores do que baleias, podendo ser confundidas com pequenas ilhas; por conta disso, algumas pessoas chegaram a fazer tal confusão. Outros relatos são de que navios encalharam nas costas desses animais; no caso do *hafgufa*, isso também poderia acontecer, o navio poderia ficar encalhado em seu dorso ou ser abocanhado por ele.

NOVE MUNDOS IX

A menção aos Nove Mundos é algo vago, poucas vezes citado. Apesar dessas breves citações, não existe uma lista nas fontes mitológicas dizendo quais seriam os Nove Mundos propriamente. Além disso, a ideia de que temos da Yggdrasil conectando seus galhos e raízes por todos esses mundos é fruto de representações iconográficas surgidas a partir do século XIX, pois os mitos só informam que as raízes desceriam até as profundezas e sua copa tocaria o céu, não especificando exatamente quais mundos estariam associados a isso. Entretanto, com base nos mitos, é possível identificar os mundos, ou reinos, como também são chamados.

ALFHEIM (REINO DOS ELFOS)

Elfos dançantes.
August Malmström, 1866.

Um local parecido com Midgard e Jotunheim em termos geográficos. Na *Edda em prosa*, Snorri escreveu que, em Alfheim, viveriam apenas os elfos de luz (lsjólfar), não todos os elfos. A localização deste reino é incerta, ficando para além de rios, florestas e montanhas. Lá estaria situada a montanha Himinbjorg, que tocaria o céu e onde viveria Heimdall. Snorri também diz que, neste mundo, existiriam três belos salões pertencentes aos deuses: Breidablik, Glitnir e Valaskialf. Pela concepção dada por Snorri, Alfheim parece situado num plano celeste, devido à sua conexão com o céu e a ser a morada de alguns deuses também, apesar de ele não informar claramente quais deles lá viveriam.

ASGARD (TERRA DOS ASES)

Asgard e Bifrost.
Otto Schenk, 2014.

É o mais importante dos Nove Mundos. Sua localização geralmente é identificada na copa da Yggdrasil ou em algum lugar do céu, pois a ponte do arco-íris, a Bifrost, conecta Asgard a Midgard. Em Asgard, existiriam vários salões pertencentes aos principais deuses, algo que voltaremos a comentar no próximo capítulo. Em termos geográficos, o lugar é similar ao mundo dos homens.

Na *Edda em prosa*, consta que Asgard foi criada com Midgard por Odin, Vili e Vé após matarem o gigante Ymir. Nesse mesmo livro, Snorri conta também a narrativa na qual um gigante se ofereceu para construir as muralhas de Asgard. Em geral, este e Jotunheim são os reinos mais mencionados nos mitos nórdicos, havendo várias histórias que ocorrem nesses mundos.

JOTUNHEIM (REINO DOS GIGANTES)

É o terceiro mais importante dos mundos, aparecendo ou sendo citado em vários mitos. É descrito como um local similar a Midgard, mas com mais florestas e muitas montanhas. Costumava ser separado da terra dos homens por um mar, rios ou cordilheiras; essa condição inclusive é comentada em alguns mitos do deus Thor, que precisava atravessar rios ou montanhas para chegar até lá.

Em algumas narrativas, Jotunheim é associado ao leste, além de ser mencionado como uma região montanhosa. Os nomes de cidades e vilas deste mundo são desconhecidos, embora, na *Edda em prosa*, sejamos apresentados a uma fortaleza chamada Utgard, governada pelo gigante trapaceiro Utgard-Loki, versado nas artes mágicas de ilusão. Além dessa localização, os mitos citam fazendas, casas e salões de outros gigantes, como Hymir, Thyrm, Tjazi, Hrungnir, Aegir, Gymir, entre outros.

Gigante Skrymir e Thor. Louis Huard, 1900.

Em geral, as narrativas de Thor são as que mais ocorrem em Jotunheim, e, devido à popularidade desse deus, existem vários mitos falando de suas aventuras pela terra dos gigantes.

MIDGARD (TERRA DOS HOMENS)

É o segundo mais importante dos mundos, representando as terras habitadas pela humanidade. Na *Edda em prosa*, é informado que Midgard ficaria no centro do mundo, por isso chamada também de "terra média" ou "terra do meio", nome que inclusive inspirou a Terra-Média do universo literário de Tolkien. Midgard seria rodeada por um oceano, e, para além deste, ficaria a terra dos gigantes e dos elfos. É o único dos Nove Mundos sobre o qual existe um mito mais detalhado para explicar sua origem: criada a partir do corpo de Ymir, o gigante primordial.

Yggdrasil, A Árvore Mundana. Oluf Bagge, 1847.

Midgard é citado algumas vezes na *Edda poética*, no "Ciclo dos deuses", em que algumas divindades, como Odin, Thor e Heimdall, a visitam, mas normalmente, nesse ciclo, os acontecimentos giram em torno de Asgard e Jotunheim. No entanto, no "Ciclo dos heróis", todas as narrativas se passam em Midgard.

MUSPELHEIM (REINO DESTRUÍDO)

Surtr com a espada flamejante, os Anões buscam esconderijo em suas rochas.
Friedrich Wilhelm Engelhard, 1882.

Seu nome traduzido significa "reino destruído", mas comumente é chamado de "mundo de fogo", por conta de haver rios flamejantes por lá, segundo a *Edda em prosa*. Sua localização é incerta, ora estando situado no sul, ora no subterrâneo. Este mundo era governado por Surtr, um gigante com uma espada flamejante. Equivocadamente, foi associado ao lar dos "gigantes de fogo", mas não existem gigantes de fogo nos mitos nórdicos, isso é uma invenção de outros autores. Nos mitos havia apenas os gigantes comuns e os gigantes de gelo.

Muspelheim, ao lado de Niflheim, era um dos mundos primordiais, estando separados pelo Ginnungagap, o grande abismo. O seu calor derreteu o gelo de Niflheim e assim surgiu Ymir, o ser primordial. Com exceção desse mito da origem dos cosmos, Muspelheim não é um local de destaque na mitologia nórdica, sendo pouco citado. Inclusive nem se sabe ao certo por qual motivo ele era chamado de "reino destruído".

NIDAVELLIR (CAMPOS ESCUROS)

É o nome dado à terra dos anões, por estar situada no subterrâneo. Lá eles viveriam em seus salões rochosos e nas minas. Pouco se sabe sobre este mundo, já que ele raramente é citado na mitologia. Nas narrativas em que anões aparecem, como Andvauri, Otr, Regin, Alvis, Fjalar, Galar, entre outros, não é informado que eles viviam em Nidavellir. Há inclusive uma história em que Odin e Loki encontram Andvauri e seus irmãos, mas eles não viveriam no subterrâneo. Todavia, no mito da criação do colar de Freyja, fica subentendido que a deusa teria ido a Nidavellir para negociar a feitura de seu colar. Essa ideia também é sugerida no mito da criação dos presentes dos deuses, em que Loki visita a forja dos irmãos Brokk e Eitri.

NIFLHEIM (REINO DA NEBLINA)

É um mundo frio, congelado e nebuloso. Na *Edda em prosa*, é informado que esse seria um dos dois mundos primordiais e que ficava distante do sol, podendo estar situado no extremo norte (zona polar) ou no subterrâneo. Os gigantes de gelo habitariam este mundo, bem como a deusa Hel, banida por Odin.

Niflheim também é pouco citado nos mitos, sendo seu maior destaque na origem dos cosmos. Em sua friorenta região, estaria situado Helheim, o reino de Hel, para onde parte dos mortos seguiriam.

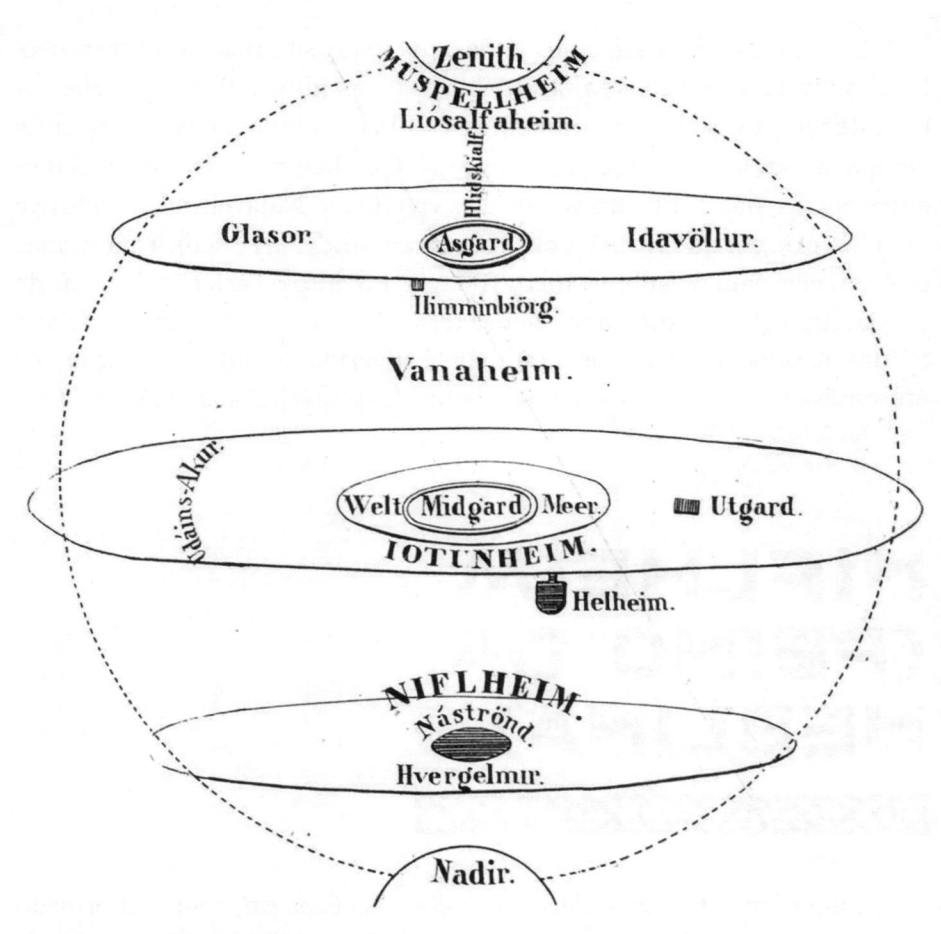

Tentativa de ilustrar a cosmologia nórdica.
Henry Wheaton, 1831.

VANAHEIM (REINO DOS VANES)

Embora pouco citado nos mitos, este mundo é o lar dos deuses Vanes, de onde vieram Njörd, Freyr e Freyja. Ele seria similar a Asgard e ficaria no céu ou na copa da Yggdrasil. O mito da guerra entre o Ases e Vanes sugere que Asgard e Vanaheim faziam fronteira, mas não dispomos de mais relatos sobre esse mundo, já que não há certeza se os salões de Njörd, Freyr e Freyja ficariam em Vanaheim ou em Asgard.

SVARTALFHEIM (REINO ESCURO)

De acordo com Snorri Sturluson, estaria situado no subterrâneo, sendo o lar dos elfos escuros (*svartálfar*). Snorri explica que estes eram chamados assim porque viviam em cavernas, longe da luz do sol, não porque tivessem a cor da pele escura. Em alguns mitos, este reino é confundido com a terra dos anões, por conta da etimologia e de os elfos escuros serem referidos por vezes como exímios ferreiros. Além disso, é preciso destacar que Svartalfheim é citado apenas na *Edda em prosa*, não aparecendo em outras fontes mitológicas conhecidas. Por isso, quem usa a *Edda poética* como referência para nomear os Nove Mundos, costuma trocá-lo por Helheim.

Embora seja comum se falar em Nove Mundos, na mitologia nórdica existem mais do que nove, como veremos no capítulo sobre os mundos dos mortos.

SALÕES DOS DEUSES

ODIN

O poema "Grimnísmál" traz uma lista com o nome de doze salões, mas existem outros citados na *Edda em prosa*. Aqui, neste texto, reunimos o nome dos salões dos deuses e alguns comentários a respeito deles. Em primeiro lugar, é preciso elucidar que a ideia de que os deuses nórdicos viveriam em palácios ou castelos é algo incorreto, embora existam livros de mitologia que utilizem esses termos. Durante a Era Viking (séculos VIII a XI) e antes dela, período em que a crença nesses deuses estava em alta, não existiam palácios ou castelos na Escandinávia; a morada dos nobres e ricos eram os salões, os quais consistiam em largas e longas casas.

Além de servirem como morada dos mais ricos e dos governantes, os salões eram locais de poder e convivência (alguns do tipo descoberto poderiam ter mais de 30 metros de comprimento). Eles representavam a sede de um governo e eram usados para banquetes e cerimônias religiosas. A ideia de um salão aberto para o povo em geral não é precisa; isso dependeria da boa vontade e personalidade de seu dono, condição essa explicada pelo fato de os banquetes geralmente receberem apenas parte da população como convidada, diferentemente do que vemos em filmes, jogos e séries, os quais mostram a comunidade participando dessas reuniões. Explicado brevemente o papel dos salões nórdicos, vejamos o nome dos salões divinos:

ALFHEIM (REINO DOS ELFOS)

Aqui temos um problema de interpretação mitológica, pois Alfheim é também o nome da terra dos elfos, entretanto, no "Grimnísmál", é informado que esse lugar seria o salão do deus Freyr, que o recebeu como presente quando seu primeiro dente de leite caiu, um costume ainda praticado em alguns lugares da Escandinávia, como na Islândia, onde se dá presentes às crianças quando isso acontece.

Para explicar essa problemática, é preciso ter em mente que, nas mitologias, existem casos em que um mesmo nome é usado para se referir a mais de uma pessoa, lugar e coisa. Isso é comum na mitologia grega; embora na mitologia nórdica seja incomum, ocorre em algumas situações. Um exemplo disso é que, na *Edda em prosa*, Alfheim é o nome da terra dos elfos, não tendo uma conexão com o deus Freyr.

No entanto, mesmo que não haja uma conexão direta, os mitólogos identificaram uma relação indireta em termos simbólicos. Freyr e os elfos estavam associados ao culto à natureza, à agricultura e à fertilidade. Como um dos Vanes, Freyr era uma divindade da fertilidade rural; por sua vez, os elfos eram espíritos da natureza, os quais até recebiam oferendas para proporcionar caça, frutos e uma terra fértil.

BILSKIRNIR (RELÂMPAGO)

É o nome do salão de Thor, localizado em Thrudvang (Campo do poder), conforme a *Edda em prosa*, pois, no "Grimnísmál", esse local é chamado de Thrudheim (Reino do poder). Observa-se que o nome desses lugares tem uma conexão simbólica com Thor: o salão se chama Relâmpago, referência a ele ser o deus dos raios e trovões; por sua vez, o seu reino refere-se ao poder, quesito em que Thor era considerado o mais forte dos deuses nórdicos. Bikskirnir é descrito como tão grande quanto Valhalla, tendo 540 cômodos e portas. Foi neste salão que o gigante Thrym se infiltrou para roubar o martelo Mjölnir, história contada no poema "Thrymskvida" e adaptada para o presente livro. No entanto, não há mais descrições sobre o lugar. Lá viveriam Thor, Sif, Modi, Magni, Thrud, os bodes, Tanngrisnir e Tanngnjóstr, e os criados.

BREIDABLIK (VASTIDÃO BRILHANTE)

É o nome do salão no qual o deus Balder vivia com sua esposa, Nanna, e onde talvez tenha sido realizado seu funeral, pois a narrativa não especifica propriamente, apenas diz que ocorreu próximo ao mar. Este salão é descrito como belo e de telhado resplandecente, como o Valhalla. Segundo o "Grimnísmál", lá seria uma terra sem máculas; já na *Edda em prosa*, é informado que Breidablik seria um dos salões celestes. Aqui encontra-se uma referência de Asgard situada no plano celeste.

Há pouca informação sobre Breidablik, no entanto, em caráter simbólico, ele recebe referências que o conectam a Balder. Nesse ponto, é preciso destacar que, em geral, os locais têm alguma característica simbólica que os conecta a determinado personagem ou acontecimento. Balder é descrito como um deus claro, benevolente e pacífico. Um dos adjetivos para se referir a ele era "iluminado". Nota-se como essa condição combina com a ideia de seu salão ser chamado de "vastidão brilhante".

ELJUDNIR (GRANIZO FRIO)

Refere-se ao salão de Hel, a deusa dos mortos. Ele fica em Helheim, no submundo, para onde seguiria parte dos mortos, o que o torna um local associado a crenças religiosas, algo comentado mais detalhadamente no próximo capítulo. De qualquer forma, sabia-se que esse salão era bastante grande e cercado por altos muros e grandes portões, o que sugere a ideia de que os mortos não conseguiriam escapar de lá. O nome Eljudnir evoca o simbolismo de Helheim, um local descrito como frio e contendo neve.

Eljudnir é citado algumas vezes na *Edda poética*, mas seu nome nunca é mencionado; apenas na *Edda em prosa* é fornecido esse dado e outras informações. Neste salão, viveriam Hel e seus criados, Ganglati (Velho) e Glangöt (Velha); o prato se chamava Hungr (Fome), a faca se chamava Sult (Penúria), a cama se chamava Kör (Leito do doente), e o cortinado se chamava Bilkjanda (Brilhante infortúnio). No lado de fora do salão, diante da entrada, havia um portal chamado Fallanda (Tropeço).

Observa-se, por essa descrição do salão de Hel, que ele apresenta elementos que evocam uma noção ruim associada à deusa, em que se nota adjetivos como fome, penúria, doença, infortúnio e velhice. Apesar do uso dessas palavras, Helheim não era descrito como local de tormentos, mas como um mundo escuro e frio, sem a glória, os banquetes e aconchegos vistos em Valhalla e outros locais. No próximo capítulo, comentaremos a respeito de sua associação à ideia de Inferno.

FENSALIR (SALÃO DO PÂNTANO)

Consiste no salão da deusa Frigga, que, embora seja esposa de Odin, tem a própria moradia. Informações sobre este lugar são escassas, aparecendo apenas na *Edda em prosa*, que informa se tratar de um belíssimo lugar, sendo um dos mais belos salões divinos. Lá Frigga se reunia com as deusas Fulla, Hlin, Gna, Lofn, Vjon, Syn, entre outras, para tratar de afazeres domésticos, geralmente a fiação e tecelagem, pois a rainha dos deuses era uma divindade associada a tais ofícios. Foi neste salão que Loki se infiltrou para conseguir conversar com Frigga e descobrir o ponto fraco de Balder.

O nome Fensalir ainda é motivo de debate, pois evoca o pântano, tipo de ecossistema normalmente associado a uma ideia de algo sombrio, feio e perigoso.

Contudo, o salão evocava a chamada "fen", as terras férteis pantanosas, nas quais inclusive na primavera brotam flores silvestres. Mesmo com tudo isso, a associação de Frigga aos pântanos ainda não é compreendida de forma clara.

Frigga e Suas Serviçais.
Carl Emil Doepler, 1882.

HIMINBJORG (MONTANHA DO CÉU)

É o salão do deus Heimdall, onde ele vive alegremente e aprecia o bom hidromel. Segundo a *Edda em prosa*, esta montanha fica situada em Alfheim, na borda do céu, de onde descia a Bifrost para Midgard. A referência é importante, pois Heimdall era o porteiro dos deuses, incumbido de vigiar constantemente essa ponte para não permitir a entrada de invasores (mesmo que os gigantes usassem outros meios para entrar em Asgard). No "Grimnísmál", não se sabe se Himinbjorg seria o nome apenas do salão ou também da montanha onde ele fica. Novamente encontramos um caso em que o nome é o mesmo para usos diferentes.

NOÁTUN (ENSEADA DOS BARCOS)

Njörðr e Skaði no caminho a Noátun.
Friedrich Wilhelm Heine, 1882.

É o nome do salão de Njörd, o deus dos mares. Há poucas informações sobre ele, mas uma delas é que ele estaria situado próximo ao mar, sendo um local agradável, em que Njörd podia observar o oceano. Na época em que foi casado com Skadi, o seguinte acordo foi feito: por nove noites, ele permanecia em Trymheim, nas montanhas; sua esposa, por sua vez, permaneceria nove noites em Noátun, na costa. O casal se revezava quanto às moradias, mas isso acabou não dando certo, pois Njörd não gostava do clima e paisagem montanhescos, e Skadi não apreciava a paisagem praiana.

Percebe-se que o nome Noátun também faz referência a Njörd, pois remete ao mar por meio das palavras "enseada" e "barcos". Além disso, outra sugestão de tradução é de que Noátun significa "vilarejo dos barcos", o que remeteria a um povoado pesqueiro. Sobre isso, Snorri Sturluson informou que os pescadores faziam preces e oferendas a Njörd para pedir bons ventos, mar calmo, boa pesca e prosperidade. No entanto, esse não era o único salão dos deuses situado perto do mar.

SESSRÚMNIR (SALÃO DOS ASSENTOS)

Poucas informações sobre este lugar, o salão da deusa Freyja, são encontradas nos mitos. No entanto, ele também teria tido uma função religiosa, a qual acabou sendo ofuscada por Valhalla. Neste salão, viveriam parte dos einherjars e algumas valquírias, além de ser onde Loki roubou o colar Brisingamen. O nome do salão remete diretamente à condição de ele abrigar longas mesas com assentos (no caso, seu nome também poderia ser traduzido como "sala dos bancos", pois, na cultura escandinava, era comum que bancos fossem usados para se sentar à mesa, já que as cadeiras eram reservadas aos chefes e dignatários).

Sabe-se que o Sessrúmnir estaria situado no reino de Freyja, chamado Folkvang (Campo do povo), uma referência à condição religiosa desse salão em receber a alma dos mortos, fossem eles guerreiros, fossem suas esposas; e algumas hipóteses sugerem que as mulheres que morressem virgens também iriam para lá. Outra linha de interpretação sugere que Folkvang significa "Campo do exército", uma referência direta à presença dos guerreiros einherjars.

TRYMHEIM (REINO BARULHENTO)

O poema "Grimnísmál" informa que este era o nome do salão do gigante Tjazi, ao qual levou a deusa Iduna após raptá-la para poder se apossar das maçãs mágicas que concediam longa vida aos deuses. Loki foi incumbido de resgatar a deusa, e Tjazi o perseguiu até Asgard, onde foi morto. Em retaliação, sua filha, Skadi, confrontou os deuses, mas sua vingança foi apaziguada por meio de um acordo matrimonial: que ela se casasse com Njörd. O nome do salão adviria dessa briga gerada após o crime de sequestro cometido por Tjazi, por isso a referência ao "barulho".

Com a morte de Tjazi, o salão passou a pertencer à sua filha. Enquanto ela foi casada com Njörd, o deus dos mares passava nove dias vivendo nesse salão situado nas montanhas. Por ser feito por um gigante, alguns mitólogos o situam em Jotunheim, apesar de não ter localização precisa especificada.

VALHALLA (SALÃO DOS MORTOS)

É o mais famoso dos salões dos deuses, por pertencer a Odin, mas também por ser um dos mundos dos mortos, algo tratado no capítulo seguinte. Sendo assim, não abordaremos, por ora, a função religiosa deste salão. Nos mitos, Valhalla é descrito como o maior de todos os salões divinos, com 540 aposentos e portas, permitindo que 800 guerreiros pudessem passar por elas de uma vez. O valor se trata de uma hipérbole para mostrar a grandiosidade do local.

O "Grimnísmál" descreve que Valhalla estaria situado em Glaðsheimr (Reino brilhante), um local incerto, mas geralmente associado a Asgard. O telhado deste salão reluziria como ouro, embora fosse feito de escudos; suas colunas seriam feitas de lanças entrelaçadas; em suas paredes, se veria escudos e armas pendurados; e os bancos eram forrados com cotas de malha. Tais características refletem um salão voltado para os guerreiros, além de reforçar a condição de Odin como um deus da guerra.

Em Valhalla, viveriam Odin, Frigga, Sleipnir, Hugin, Muni, Geri, Freki, os einherjar (guerreiros eleitos), as valquírias e os servos, além da cabra Heidrun, a qual fornecia hidromel constantemente para abastecê-lo. Na cozinha, se encontrava o cozinheiro dos deuses, Andhrimnir, que cozinhava o javali Sæhrímnir (ressuscitado no dia seguinte para ser abatido novamente) no caldeirão Eldhrímnir. Os mitos dizem que todos os dias banquetes regados a hidromel e abundando em carne eram oferecidos para os einherjar.

OUTROS SALÕES

Há outros salões mencionados sobre os quais praticamente nada se sabe. Glitnir (Brilhante) era o nome da moradia de Forseti, filho de Balder e Nanna, sendo ele o deus da justiça. Diz-se que ele era feito de ouro e tinha o teto prateado, conferindo-lhe um aspecto brilhante. Ýdalir (Vale do Teixo) era o nome do salão de Ull, o filho de Sif e enteado de Thor, uma divindade inexpressiva nos mitos. Apesar disso, a referência ao teixo poderia remeter simbolicamente à condição de Ull ser um caçador, referido inclusive em usar esquis para caçar, sendo o teixo uma boa madeira para produzir arcos e esquis. Vidi (Terra Arborizada) era o nome do salão de Vidar, lugar sobre o qual nada se sabe ou pela sua associação à floresta, já que Vidar era um deus guerreiro.

Há também o salão de Aegir, que não tem nome específico, no qual ocorreu o banquete das calúnias, promovido por Loki e narrado no "Lokasenna", o qual foi adaptado no presente livro. Rán, a esposa de Aegir, também tem um salão, situado no fundo do mar e sem nome definido. Sökkvabekkr (Cômodo afundado) era o nome do salão de Saga, uma deusa pouco conhecida, que costumava oferecer hidromel para Odin e lhe contar histórias.

O Valaskjálf (Sede dos mortos) é um salão que pertence a Odin, pois lá ficaria o trono Hlidskjalf, de onde Odin poderia enxergar todos os mundos. O "Grimnísmál" diz que esse salão teria seu telhado feito de prata. Para alguns mitólogos, o nome do local poderia ser, na verdade, uma variação de Valhalla por, semanticamente, ambos utilizarem a palavra *"val"* (mortos) e pertencerem a Odin.

Náströnd é um salão sombrio situado no subterrâneo e associado aos criminosos; sobre ele, explicaremos melhor no próximo capítulo, pois, além de ser um dos mundos dos mortos, tem uma função religiosa.

No final da *Edda em prosa*, após o *Ragnarök*, Snorri cita três salões celestes: Gimlé (Resplandecente), descrito como mais resplandecente do que o sol, Brimir, onde se produzia excelente bebida, e Sindri, cujo telhado seria vermelho-dourado[27]. Snorri associou esses três salões a moradas das pessoas boas; aqui percebe-se um referencial cristão, pois ele os compara à ideia de Paraíso cristão.

---

[27] Na *Edda Poética*, Brimir é um dos nomes do gigante Ymir; já Sindri é o nome de um anão. Nota-se outro uso para esses nomes.

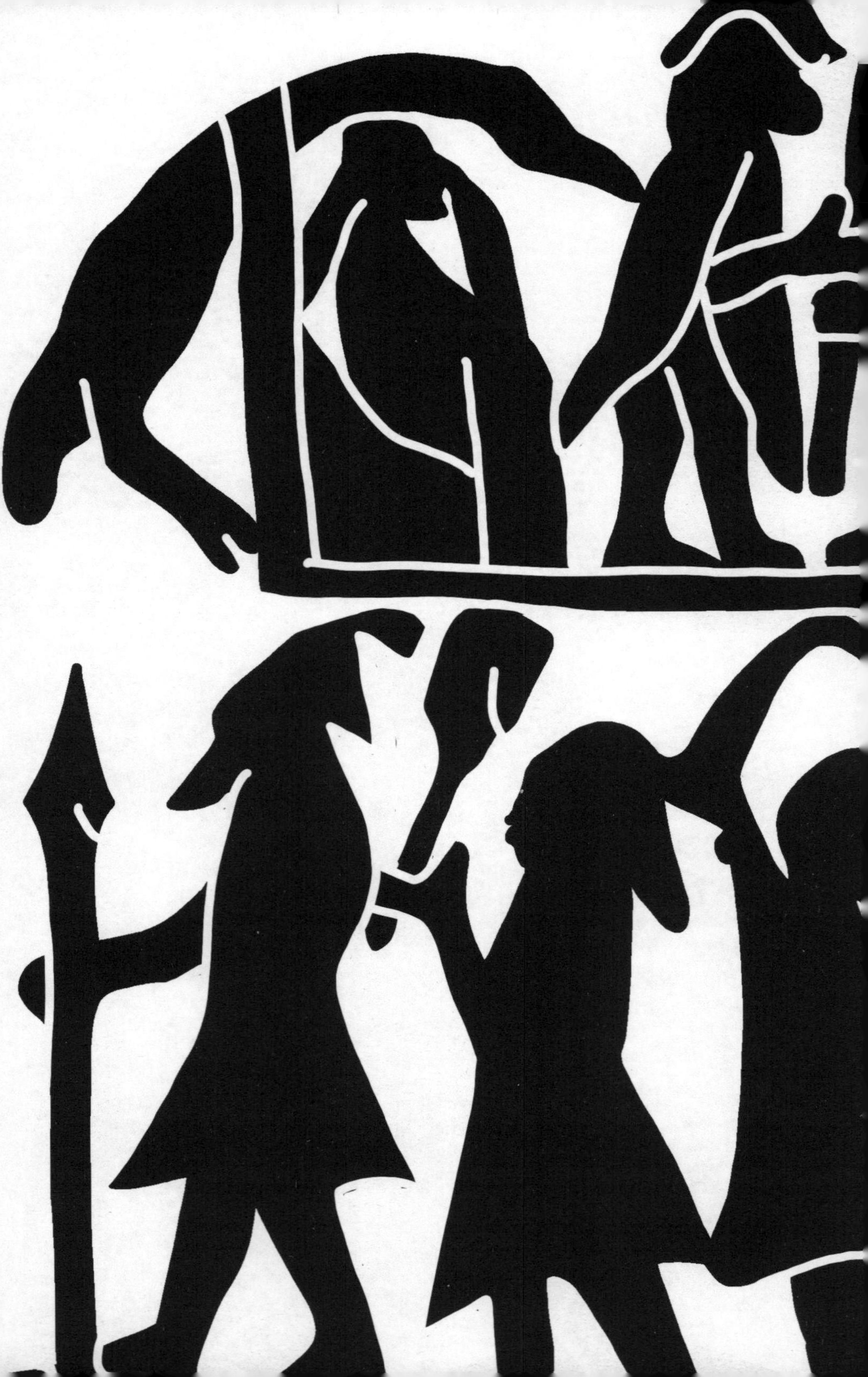

ODIN THOR FREYR

MUNDOS DOS MORTOS

XI

Ao passo que outras mitologias e religiões apresentam apenas um, dois, três ou quatro mundos dos mortos, a mitologia nórdica faz referência a vários lugares em que as almas passariam a residir após a morte, embora se dê mais atenção a Valhalla e Hel. Entretanto, essa diversidade de mundos nos mostra como as crenças nórdicas eram heterogêneas, variando de região para região, época para época, e até memo entre classes socais.

Diante disso, neste capítulo, comentaremos um pouco a respeito dos principais mundos dos mortos, apresentando suas particularidades, fontes, crenças religiosas, dúvidas envolvidas, descrições físicas e influências cristãs. Mas, além de mencionar todos esses aspectos, o primeiro tópico abordará as crenças sobre a morte, apresentando algumas ideias centrais sobre a alma e os mortos.

AS CONCEPÇÕES SOBRE A MORTE

Na mitologia e nas religiões nórdicas, a ideia de um "nada", de uma inexistência ou fim da alma não existia. Nesse caso, a alma, chamada de *hamr*, que significa literalmente "forma", era considerada imortal. Os homens, animais e outros seres teriam almas, embora não se saiba se essa concepção se estenderia também às plantas; até mesmo os deuses tinham almas, o que foi comprovado pelo fato de Balder, Hodr e Nanna terem ido para Helheim após a morte.

Contudo, a palavra "*hamr*" refere-se a "forma", no sentido de que a alma poderia se transmutar em animais também, uma clara influência de crenças xamânicas. Sobre isso, há relatos de alguns praticantes de magia que alegavam ter a capacidade de executar proezas espirituais, como projeção astral, incorporação em animais ou outras pessoas, manifestação de espíritos, invocação de fantasmas e até mesmo mudança de forma, como no caso dos lobisomens ou feiticeiras, que se transformariam em animais. Nos mitos, Loki é conhecido por sua habilidade de se transformar em animais, característica de um *trickester*.

Os nórdicos em questão não pensavam em um julgamento pós-vida, como visto no Cristianismo, no Islamismo, no Zoroastrismo e em outras religiões, em que haveria a necessidade de as pessoas prestarem contas de seus pecados. Entre as crenças nórdicas, não havia o conceito de pecado, que ficou conhecido por meio do Cristianismo. Sendo assim, um nórdico da Alta Idade Média (séculos V ao X) não se preocupava em ter de prestar contas de suas ações aos deuses, pois, com exceção de um dos mundos dos mortos, Náströnd, em nenhum outro havia punições. Logo, independentemente de ter sido uma pessoa boa ou má, iria para a outra vida sem preocupação. Contudo, na *Edda em prosa*, devido à sua influência cristã, Snorri Sturluson apresentou aspectos dessa religião ao interpretar a vida após a morte, algo que comentaremos adiante neste capítulo.

A preocupação dada à morte era bem significativa entre as populações nórdicas, havendo diferentes formas de inumação e cremação. Dependendo da época, região e classe social, as formas de sepultamento variavam. Escravos e pessoas pobres poderiam simplesmente ser sepultados em covas comuns, ao passo que outras pessoas seriam enterradas com algum pertence pessoal, como ferramentas, objetos e armas. Já pessoas mais abastadas seriam sepultadas com presentes, móveis, joias, escravos e animais sacrificados. Em alguns casos, poderiam construir túmulos de terra ou pedras, ou até mesmo enterrar embarcações ou cremá-las.

Com base nesses aspectos funerários, sublinha-se que a vida após a morte era vista como uma continuidade da vida terrena, por isso a necessidade de levar objetos pessoais, ferramentas, armas, animais, móveis e até escravos. Em alguns casos, há relatos contidos em sagas sobre pessoas deixando oferendas de alimento e bebida aos mortos em estradas ou tumbas. Além disso, era uma prática conjurar feitiços, usar amuletos e até pedras rúnicas para fornecer auxílio ao morto, a fim de que ele encontrasse seu caminho e fosse protegido durante a viagem.

Outra concepção associada à morte eram os fantasmas e mortos-vivos. A ideia de que os mortos jamais poderiam entrar em contato com os vivos não era concebida nas crenças nórdicas pagãs. Nas sagas e até em outras fontes há relatos de familiares aparecendo em visões, sonhos, presságios ou como fantasmas ou mortos-vivos (*draugr*) para comunicar algo aos entes queridos. Em alguns relatos, temos o caso de fantasmas habitando túmulos, como na "Saga de Hervör", em que a protagonista encontra o cemitério em que seu avô estava sepultado e conversa com a alma dele.

VALHALLA

O salão de Valhalla é um dos mundos dos mortos mais conhecidos, sendo mencionado nas fontes escritas medievais, além de ser retratado em poemas, romances, pinturas, gravuras etc., vindo a servir de fonte para nomes de marcas de produtos diversos. A fama de Valhalla se deve principalmente a três aspectos: ser o lar de Odin, ser o destino dos guerreiros e ser muito mencionado nas fontes escritas.

No capítulo anterior, comentamos alguns aspectos desse salão, conforme descrições e menções nos mitos; agora faremos uma breve análise da sua função religiosa.

Quanto à ideia de que apenas guerreiros mortos em batalha iriam para Valhalla, é preciso ter cautela com essa afirmação, pois ela se tornou um senso comum genérico. Com a popularização da mitologia nórdica por meio da *Vikingmania*[28], tornou-se comum ver ou ler afirmações como "apenas os guerreiros que morreram no campo de batalha iriam para Valhalla, de preferência os que morreram segurando um machado ou espada", "as valquírias seriam guerreiras que poderiam lutar ao lado desses guerreiros, caso Odin ou a 'rainha das valquírias' assim determinasse" etc. Todas essas são informações incorretas.

Em algumas sagas e poemas, temos casos de guerreiros que não morreram em batalha, mas de velhice, acidente ou assassinato, e cujas almas, ainda assim, foram para Valhalla, pois, em vida, foram homens dignos de serem escolhidos pelas valquírias. Essa ideia de dignidade, porém, não é totalmente comprovada, pois não há relatos das crenças religiosas quanto a isso, logo não dá para saber até onde pesava essa concepção de que somente guerreiros de valor iriam para Valhalla.

Mas por qual motivo Valhalla se tornou um dos mundos dos mortos tão popular? A explicação advém do passado medieval e do passado contemporâneo. Na Era Viking, podemos encontrar poemas, sagas e até mitos que destacam Valhalla por sua importância como lar do rei dos deuses. Aqui temos de pensar na produção artística dos escaldos para os governantes e as cortes; vale lembrar

---

[28] Basicamente a Vikingmania surgiu no começo do século XIX como um entusiasmo por mitologia nórdica, e pela história e cultura dos Vikings. Esse entusiasmo se desenvolveu na literatura, teatro, ópera, artes plásticas, cinema, histórias em quadrinhos, música, séries, videogames etc. Por conta disso, vários estereótipos e ideias equivocadas se desenvolveram nos últimos 200 anos.

que, no primeiro capítulo deste livro, apresentamos as sagas de reis, que tinham um papel de propaganda política e enaltecimento de famílias. Por conta de Odin ser uma divindade associada à nobreza, aos governantes e a chefes militares, além de haver uma cultura marcial que imperava naquelas sociedades, tornou-se uma tendência o conceito de um salão em que os guerreiros de valor pudessem passar a nova existência treinando de dia e confraternizando à noite, em um suntuoso banquete neste ambiente alusivo ao "Paraíso".

Valhalla.
Max Brückner, 1896.

Já a explicação do passado contemporâneo se refere às interpretações ocorridas no século XIX, com o romantismo nórdico, britânico e alemão, os quais impulsionaram a *Vikingmania* naquele tempo. Para os poetas, escritores, pintores, mitólogos e entusiastas do tema, Valhalla era, por excelência, o "paraíso dos vikings", concepção essa difundida nas artes e mídias e que perdura até hoje.

Os guerreiros que eram escolhidos pelas valquírias se tornavam *einherjar* ("aquele que luta sozinho") e passavam a viver em Valhalla, onde treinariam até o dia do *Ragnarök*, quando deveriam se unir aos deuses para a batalha final. O interessante sobre essa crença é que, apesar de a vida desses guerreiros ser agradável, ainda que vivessem num pretenso "Paraíso", eles conservavam suas obrigações militares de terem de treinar todos os dias. Aqui recordamos que, para os nórdicos daquele tempo, o pós-morte era uma continuação da vida, logo, algumas atividades de seu cotidiano se manteriam.

Outro aspecto a ser comentado sobre os *einherjar* e Valhalla surge de uma indagação comum: mulheres iriam para esse lugar e se tornariam guerreiras? Quanto à primeira pergunta, há menções nas sagas de que as esposas ou escravas acompanhariam seus maridos e donos na outra vida para lhes fazer companhia e lhes servir. Porém, na mitologia, não há referência alguma de que guerreiras iriam para Valhalla para se tornarem *einherjar*; esse era um título reservado apenas aos homens. Mesmo quanto às donzelas de escudo, não há informações de que elas iriam para Valhalla e permaneceriam como guerreiras, portanto, nada disso pode ser afirmado.

HELHEIM

Helheim é o segundo mundo dos mortos mais mencionado nas fontes escritas, estando situado no submundo. Esse local se assemelha, em alguns aspectos, ao mundo inferior de Hades, para os gregos, sendo descrito como um lugar escuro, frio e governado por uma divindade que recebe o mesmo nome do lugar. Por isso, optamos por usar as versões Hel (o nome da deusa) e Helheim (o nome do lugar) para evitar confusão de entendimento, embora nas fontes mitológicas o termo usado seja Hel para ambos os casos (igual a Hades para os gregos).

A palavra "*Hel*" significaria "túmulo" ou "cova", termo adequado se considerarmos que se trata de um mundo subterrâneo. No poema "Balders drauma" e no "Gylfaginning", Odin e Hermod cavalgaram em Sleipnir pelas profundezas do mundo até chegarem a Helheim, o que atesta sua localização subterrânea (ainda que, de acordo com o relato do *Ragnarök*, narrado no "Völuspá" e no final do "Gylfaginning", haveria um navio transportando os mortos de Helheim, o que suscita a dúvida se esse lugar ficaria no subterrâneo ou na superfície, estando no além-mar). Apesar dessa versão na superfície, no entanto, a localização de Helheim no subterrâneo é a mais recorrente.

Alguns leitores devem se lembrar que, em sua obra, Snorri informa que para Helheim iriam os que morressem de doença e velhice. Sim, realmente isso é informado, mas é preciso ter cautela ao usar tais informações como afirmações. Na própria *Edda em prosa*, quando Helheim e Niflhel são citados pela primeira vez, é informado que os homens maus iriam para esses dois mundos. Isso já coloca em dúvida a afirmação de Snorri de que somente os doentes e velhos seguiriam para Helheim. E, para completar, os deuses Balder e Hodr, que foram assassinados, também foram para lá. Ou seja, no mesmo livro, há três fatores distintos para se referir aos motivos que conduziriam as almas até Helheim.

Heimdallr deseja a volta de Iðunn do Submundo.
Carl Emil Doepler, 1881.

Entretanto, nos poemas e sagas escáldicos da *Edda poética*, os motivos para ir-se à Helheim não são revelados; lá os personagens simplesmente dizem que irão para aquele lugar, estando conformados com a ideia. No entanto, ir para Helheim não necessariamente era algo ruim. De acordo com a descrição, esse mundo se tratava de um lugar frio, escuro e pouco atrativo, mas em momento algum os mitos mencionam que os mortos seriam ali castigados ou estariam em sofrimento, então isso já desmente a ideia de que Helheim seria similar ao Inferno, pois este é um mundo de punição, dor e sofrimento.

Apesar dessa diferença, os padres e monges da Idade Média, durante a evangelização dos povos nórdicos, acabaram associando Helheim ao Inferno, e por isso a palavra originou *"Hell"* ("Inferno" em inglês antigo, mantida até hoje).

Dessa forma, Helheim era um mundo dos mortos para o qual iriam os que morressem de velhice, doença, acidente ou assassinato. Contudo, o local também recebia pessoas por outros motivos, e é preciso deixar claro que não existia um único fator determinante para que a alma seguisse para Hel; os mitos apresentam diferentes fatores.

NÁSTRÖND

Náströnd é um mundo dos mortos pouco conhecido, mas que ganhou destaque neste livro por ser um local emblemático, sobre o qual pouco se sabe, e que levanta várias teorias. Este mundo é citado apenas em duas breves passagens, as estrofes 38 e 39 do poema "Völuspá", na *Edda poética*, e no capítulo 52 do "Gylfaginning", na *Edda em prosa*. Ambos os relatos são bem parecidos, havendo pequenas diferenças, sobre as quais comentaremos a seguir.

Náströnd dá nome a um local e ao salão nele situado. O mundo é referido como a "costa dos cadáveres", o que sugere algo litorâneo, até porque estaria voltado ao norte e distante do sol, indicando que Náströnd ficaria no subterrâneo. Já o salão é descrito como feito de espinhas de cobras, cujo telhado teria entradas nas quais serpentes gotejariam veneno em seu interior, criando rios. Em seus arredores, existiria um lobo, para morder os condenados, e o dragão Nidhogg[29], para atacar os mortos.

Em caráter simbólico, Náströnd apresenta uma série de particularidades que o conectam à morte e aos mortos. Trata-se de um mundo sombrio, situado no subterrâneo (local associado a sepultamentos, covas, túmulos e tumbas), com serpentes, um dragão e um lobo (animais também associados à morte). Além disso, destaca-se a condição de que, na mitologia nórdica, as serpentes são animais que também simbolizam a ideia de castigo: Loki foi punido com uma serpente, o poço de cobras era uma forma de execução,

---

[29] Nidhogg viveria no submundo, mas, dependendo do mito, ele aparece roendo as raízes da Yggdrasil ou atacando os mortos condenados em Náströnd.

Fafnir foi amaldiçoado a ser transformado num dragão-serpente. Tais exemplos reforçam a ideia de Náströnd como um salão com cobras.

Náströnd. Lorenz Frølich, 1895.

Apesar da descrição sombria associada ao lugar, o grande destaque diz respeito ao fato de ele receber condenados, algo único na mitologia nórdica. Nos demais mundos dos mortos, pessoas boas e ruins iriam para tais lugares, no entanto, Náströnd é o único local que receberia pessoas más, mesmo estipulando algumas normas para isso. Somente assassinos, perjuros e assediadores de mulheres casadas estavam aptos a ir para lá. Os motivos por trás disso não são totalmente conhecidos, mas a informação é respaldada em termos culturais da época, pois o assassinato de pessoas inocentes ou de forma covarde era um ato criminoso. Ainda que o assédio a mulheres não fosse considerado um crime, exceto em caso de estupro, o perjuro, que inclui deslealdade, o falso testemunho, a mentira e a traição também eram atos criminosos.

Alguns mitólogos consideram que Náströnd possa ter sido uma invenção totalmente cristã, baseada apenas em elementos da mitologia nórdica. Porém, essa hipótese hoje em dia está em baixa. Uma outra leva de estudiosos considerou que este mundo dos mortos tenha sido um produto de hibridismo cultural, no qual misturou-se crenças cristãs e pagãs, havendo a possibilidade de que o relato de Náströnd fosse totalmente pagão, mas reformulado, recebendo elementos cristãos.

Embora essa dúvida ainda persista, Náströnd é o único dos mundos dos mortos na mitologia nórdica que mais se aproxima da concepção de Inferno, por ser um local de tormentos e castigo para os que agiram com maldade.

OUTROS MUNDOS DOS MORTOS

Depois de mencionarmos três mundos dos mortos, ainda restam alguns. O primeiro é o Folkvang (Campo do povo), citado no capítulo anterior, ao qual seguia metade dos guerreiros mortos e escolhidos pelas valquírias. Logo, lá viveria *einherjar* também. O motivo dessa divisão não é explicado nos mitos, apenas que Odin e Freyja fizeram um acordo para esse intuito.

Um segundo mundo dos mortos é o salão de Rán, do qual não se sabe o nome. Rán é uma divindade pouco conhecida do panteão nórdico, sendo referida como uma deusa do mar, casada com o gigante Aegir e mãe de nove filhas. Rán praticamente não é citada nos mitos, e nas *Eddas* não há uma relação entre ela e a morte, no entanto, no poema "Sonatorrek" (Aos meus filhos mortos), atribuído a Egil Skallagrimsson, este lamenta que seu filho, Bodvar, tenha morrido num naufrágio e que tenha de ir para o salão de Rán, onde ficaria na companhia dos afogados. Porém, Egil escreveu o poema pedindo que Odin intercedesse e levasse Bodvar para Valhalla.

Aqui se considera que Bodvar fosse um guerreiro, mas, por ter morrido num naufrágio, sua alma desceria para as profundezas marítimas, indo compartilhar do banquete de Rán. No entanto, há algo a mais que chama atenção nesse breve poema: o fato de Egil dizer que só faltava ele ir para Helheim. Percebe-se que, no "Sonatorrek", mencionam-se três locais da morte, embora o autor não diga por quais motivos iria para Helheim.

Um terceiro mundo dos mortos são os "salões sagrados", chamados por alguns mitólogos de *helgafell* (montanha sagrada), por se situarem dentro de montanhas. Em alguns lugares da Noruega, Suécia e Islândia, houve a crença de que os mortos viveriam em salões dentro das montanhas, num pós-morte bom, independentemente de seus atos e feitos em vida. Naqueles salões, os mortos poderiam reencontrar seus ancestrais, familiares e amigos, além de comer, beber e celebrar pelo resto dos tempos. A crença nos *helgafell* poderia estar associada aos túmulos construídos em encostas ou em forma de montículos, com a ideia de aproximar o morto desses salões montanhosos. Algumas sagas mencionam tumbas em que era possível encontrar o fantasma dos mortos, uma possível referência a essa crença nos *helgafell*.

O salão de Thor, Bilskirnir, anteriormente apresentado, é citado no poema "Hárbarðzljod", na estrofe 24, a qual diz que os escravos e fazendeiros iriam para o lar de Thor. Essa breve citação nos sugere que o deus do trovão, bastante popular na Era Viking e associado às chuvas e à primavera, era o dono do salão para o qual os camponeses e escravos esperavam ir após a morte, já que não se encaixariam nas condições de guerreiros para serem recebidos em Valhalla.

Devido a poucas referências sobre Bilskirnir ser um local da morte, nada sabemos sobre como seria a vida das almas que para ali partiriam, nem se realmente haveria essa crença de que o salão era um dos mundos dos mortos, haja vista que o poema "Hárbarðzljod" contém ironia e sarcasmo (o barqueiro Harbard poderia ter debochado de Thor ao dizer que ele era indigno por ser um deus associado a camponeses e escravos, ao passo que Odin era um deus associado a senhores e guerreiros).

Outro local que gera dúvidas está associado à deusa Gefjon, divindade pouco mencionada nas *Eddas*, sendo citada no "Lokasenna", em que Loki a chama de vadia, algo que contrasta com a ideia de ela ser casta, como dito por Snorri. Por sua vez, apenas na *Edda em prosa* existe a menção de que, ao morrerem, as mulheres virgens iriam para a ilha de Gefjon. No entanto, por mais que haja essa problemática em se definir qual seria o verdadeiro caráter da deusa, não se sabe o porquê de ela acolher as mulheres virgens, já que a própria função de Gefjon no panteão nórdico é desconhecida.

XIII
ARMAS E OBJETOS

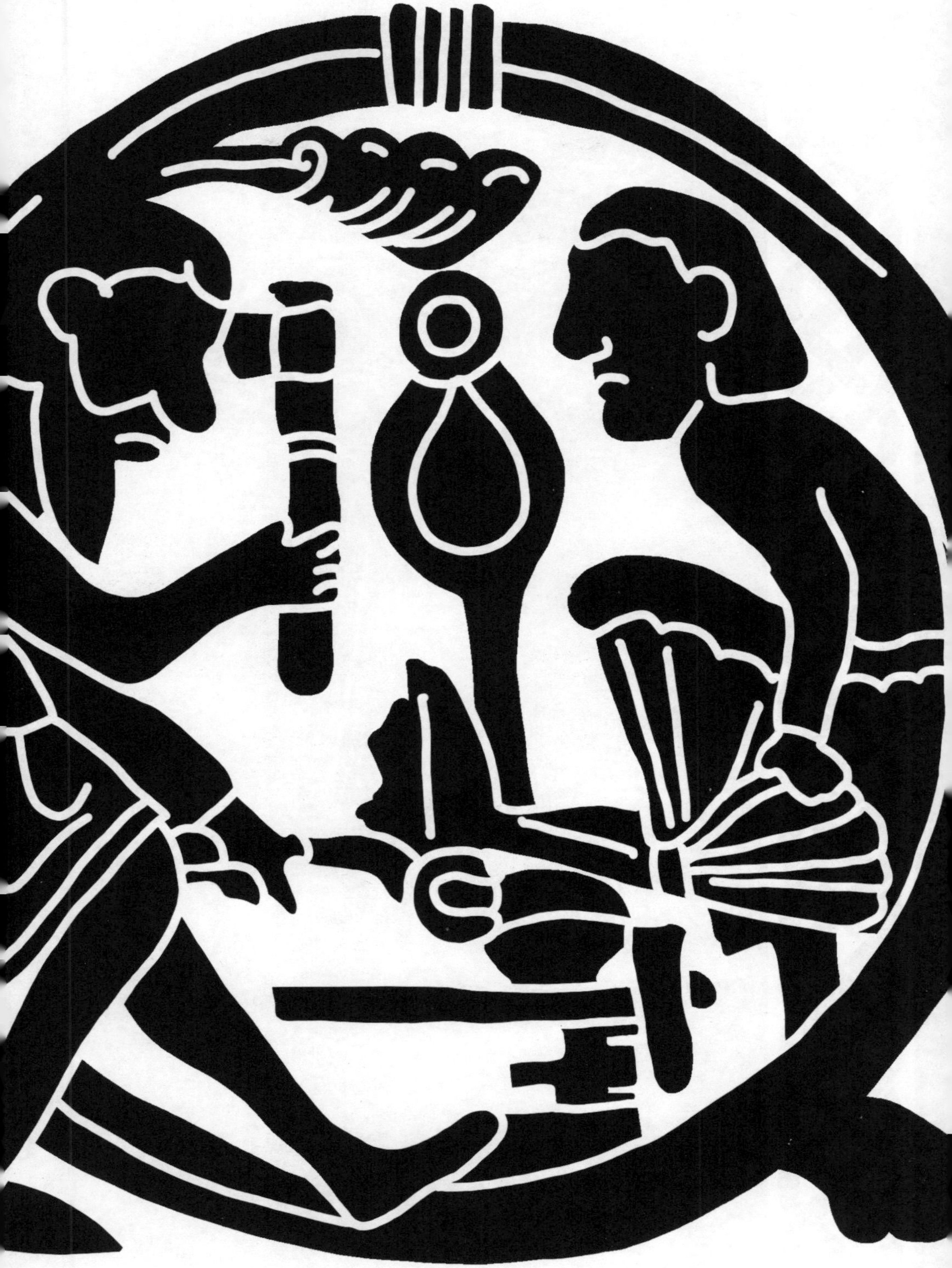

Ilustração do amuleto encontrado em Skåne, Suécia, em 1877, representando o martelo de Thor, Mjölnir.

ANDVARINAUT

O Andvarinaut é o nome de um anel mágico de ouro forjado pelo ganancioso anão Andvari, filho do rei Hreidmar e irmão de Regin, Otr, Fafnir, Lyngheidr e Lofnheidr. Os últimos dois filhos não têm importância na mitologia, mas os demais membros ficaram conhecidos por seu destino trágico.

Andvari forjou o anel Andvarinaut (Oferta de Andvari) com o poder mágico de detectar ouro, porque sua ambição era se tornar o mais rico dos anões. Além de ser um habilidoso ourives, o anão também tinha a habilidade de se transformar em salmão e gostava de nadar no rio perto de casa, a qual ficava numa caverna escondida atrás de uma cachoeira. Seu irmão Otr também era capaz de se transformar em animal, no caso, uma lontra.

Certa vez, Loki assassinou Otr por engano, pensando ser uma lontra comum. Indignado, o rei Hreidmar então cobrou dele uma compensação. Odin, que acompanhava Loki, disse que seria paga uma peça de ouro por cada fio de pelo daquela lontra. Com isso, Loki foi incumbido de encontrar essa grande quantia, então decidiu roubar o tesouro de Andvari. Essa atitude de Loki, mesmo que não intencional, deu início à tragédia desses anões.

O deus do sarcasmo conseguiu roubar o tesouro de Andvari, inclusive seu anel mágico, o que levou o anão a amaldiçoar o objeto. Loki pagou a indenização cobrada pelo rei, com o Andvarinaut como parte da penitência. Logo em seguida, o anel passou a gerar a discórdia. Sabendo disso, Andvari se manteve afastado dos irmãos, pois Fafnir e Regin passaram a brigar para se apossar da riqueza do pai; Fafnir conseguiu vencer o irmão, o qual fugiu, e então matou Hreidmar, mas, por conta desse parricídio, foi amaldiçoado e se transformou num dragão, guardando para si toda a riqueza somada de Hreidmar e Andvari.

Regin convenceu seu pupilo, o herói Sigurd, a matar Fafnir e se apossar do tesouro, mas o próprio Regin logo foi assassinado por Sigurd, após este descobrir que seu mestre planejava matá-lo. A maldição do Andvarinaut passa para

Sigurd e sua família, tema abordado na sua saga, e termina apenas quando o herói morre de forma traiçoeira e o anel fica desaparecido.

Das Rheingold. Josef Hoffman, 1876.

A história do Andvarinaut inspirou uma versão germânica desse mito chamada "Canção dos Nibelungos" (Das Nibelungenlied), em que o anão Andvari (renomeado para Alberich) se tornou membro do povo Nibelungo. Sigurd passou a ser chamado de Siegfried, e outros personagens também mudaram de nome. Essa versão germânica inspirou o compositor de óperas Richard Wagner a compor sua obra-prima, *O anel dos Nibelungos*. Por sua vez, John Ronald Reuel Tolkien se inspirou nesse anel amaldiçoado para criar o Um Anel, que aparece em seus livros, como *O Hobbit* e *O senhor dos anéis*.

BRISINGAMEN

Era o precioso colar da deusa Freyja forjado por quatro anões. A história desse colar é contada numa saga curta intitulada "Sörla þáttr eða Heðins saga ok Högna" (Conto de Sörla ou a Saga de Hedin e Högna). A história do colar seria um mito narrado dentro dessa saga, não sendo a trama principal. De qualquer forma, na obra, Freyja é retratada de forma negativa, pois, para poder obter seu precioso colar, ela se prostituiu e passou uma noite com cada um dos anões, Álfrigg, Dvalin, Berling e Grér. Feito isso, os ourives interesseiros lhe forjaram o mais belo colar já visto, o que inflou o ego de Freyja e a fez pensar ter valido a pena a troca de sexo pelo objeto.

Mais tarde, na mesma narrativa, é informado que Loki ficou encantado com aquele colar e decidiu roubá-lo, tendo invadido o salão de Freyja transformando-se em mosca e arrancando do pescoço dela o precioso Brisingamen (Ornamento reluzente). Freyja acabou descobrindo e pediu a ajuda de Heimdall para recuperar a joia roubada, iniciando a perseguição contra Loki. No fim da história, o colar é restituído à dona.

Loki rouba o colar de Freyja.
Wilhelm Wägner, 1882.

Com exceção desse mito narrado nesta saga, o Brisingamen é mencionado na *Edda em prosa* e na *Edda poética*, mas sem nenhum destaque, ainda que, das joias pertencentes aos deuses, essa tenha ganhado sua própria história.

CALDEIRÕES

Os caldeirões são utensílios associados à magia, lembrando seu uso por bruxas, feiticeiras e até druidas. Entretanto, na mitologia nórdica, os que aparecem nos mitos não tinham uma utilidade mágica, mas habitual: preparar alimentos e bebidas. Embora possa parecer algo sem graça, os caldeirões eram um dos principais utensílios na Era Viking.

Feitos de ferro ou estanho, eles permitiam cozinhar carnes, legumes, ensopados e sopas, e até mesmo preparar bebidas ,como a cerveja e o hidromel. Dito isso, vejamos alguns mitos que mencionam o uso de caldeirões.

Ægir, Rán e suas nove filhas preparam um grande caldeirão de cerveja.

A origem do hidromel da poesia remonta ao assassinato do deus Kvasir, cometido pelos traiçoeiros irmãos anões Fjalar e Galar, os quais misturaram o sangue do deus com mel e criaram o mágico hidromel da poesia, preparado num caldeirão. Aqui temos uma exceção na mitologia nórdica, por se tratar de uma bebida mágica.

De acordo com o mito narrado no poema "Hymiskvida" (Poema de Hymir), Odin pretendia oferecer um banquete aos deuses, então convidou o gigante Aegir, conhecido por ser um mestre-cervejeiro. Aegir diz precisar de um grande e bom caldeirão para preparar a bebida, então Thor se habilita para procurar o utensílio. Nesse momento, Tyr informa que o gigante Hymir (considerado seu possível pai) teria o caldeirão necessário. Assim, os dois deuses viajam a Jotunheim e acabam confrontando alguns gigantes para obter o tal caldeirão. Nessa narrativa, o utensílio seria usado apenas para preparo de bebida comum, a cerveja.

É preciso salientar que a principal bebida alcoólica consumida na Era Viking era a cerveja, sendo esta feita de cevada, trigo e centeio, e podendo receber outros ingredientes para alterar o sabor. Havia cervejas (*öl*) claras e suaves, mas também mais escuras e encorpadas; já o vinho (*vin*) era importado, pois praticamente não existiam vinhedos na Escandinávia. O hidromel (*mjød*) não era consumido tão regularmente, por ser uma bebida difícil de se produzir, sobretudo se fosse feito à base de mel de abelha; já que não havia apicultura naquela época, uma alternativa era usar o "mel" de frutas e cereais. Ainda assim, o hidromel era uma bebida de aspecto religioso, consumida normalmente em cerimônias e ritos, assim como o *bjorr*, outra bebida com características sagradas. Tendo explicado brevemente sobre essas bebidas, retomemos aos mitos.

Em Valhalla, existia um grande caldeirão chamado Eldhrímnir (Fuligem) usado por Andhrímnir (Aquele exposto a fuligem), o cozinheiro dos deuses, para cozinhar todos os dias a carne do javali Sæhrímnir (Animal sujo de fuligem). Um detalhe a ser mencionado é o fato de que o Eldhrímnir é o único caldeirão com nome próprio citado nos mitos nórdicos. Os três nomes, inclusive, contêm a mesma palavra-base "*hrímnir*" (fuligem), um jogo de palavras comum na tradição oral e na poesia.

DRAUPNIR

Draupnir (Gotejante) é outro anel mágico presente nos mitos nórdicos. Ele foi forjado pelos anões Brokk e Eitri (em outras versões do mito, ele é chamado de Sindri), os quais criaram os presentes dos deuses (alguns serão citados neste capítulo). De qualquer forma, de tais presentes, Draupnir era o mais simples, por isso não tem relevância na mitologia.

Mas o que tornava Draupnir mágico era a condição de que, a cada nove noites, ele se multiplicava em oito anéis iguais. Por isso, simbolicamente, o objeto representava a fartura. O Draupnir é citado em outros dois momentos: o primeiro, na *Edda em prosa*, quando, durante o funeral de Balder, Odin o oferece como presente fúnebre ao filho; o segundo, no poema "Skirnismál" (Cantar de Skirnir), em que Hermord dá de presente o anel a Freyr, que o repassa a seu leal servo, Skirnir, como recompensa por este ter conseguido firmar seu acordo de casamento com a giganta Gerda.

As últimas palavras de Odin para Baldr.
W.G. Collingwood, 1908.

ESPADAS MÁGICAS

Embora os vikings sejam lembrados pelo uso do machado, nos mitos, a arma que se destacava era a espada, algo que contrastava com a realidade, pois as principais armas eram o machado, a lança e o arco e flecha. Espadas também eram utilizadas, mas nem sempre eram o armamento dominante. De qualquer forma, na mitologia e literatura escandinavas, os poetas e escritores tiveram um apreço maior pela espada, por ela ganhar mais destaque.

Uma das espadas mais famosas era chamada de Gram (Ira), tendo sido forjada pelo anão Regin e dada a Odin, que, disfarçado de velho andarilho, viajou ao salão do rei dos Volsungos, Sigmund, e cravou a arma numa árvore lá existente. Na ocasião, ocorria a festa de casamento de Signy, irmã de Sigmund. Antes de partir, Odin disse que aquela espada traria sorte para quem a possuísse, então retirou-se do salão, e todos os homens começam a tentar removê-la da árvore, mas apenas Sigmund conseguiu fazê-lo, o que atiçou a inveja de Siggeir. Este então tentou comprar a arma, mas seu dono se recusou a vendê-la, o que levou Siggeir a planejar o sequestro de familiares de Sigmund para poder obter a Gram.

Sigmund experimenta a espada Gram.
Johannes Gehrts, 1901.

A analogia de remover a Gram de uma árvore nos faz lembrar da Excalibur sendo removida de uma rocha pelo rei Arthur. Em ambos os mitos, as espadas são consideradas mágicas (mesmo que seus poderes não sejam claramente descritos, elas concederiam sorte em batalha também), além de que somente um homem destinado estaria apto a removê-las.

Em posse da Gram, Sigmund obteve várias vitórias, inclusive a vingança por seus familiares mortos, mas, em uma das batalhas, a espada se quebrou, e o rei foi morto em combate. Os pedaços da lâmina foram recolhidos e guardados por sua esposa, Hjordis, na época, grávida. Ela legou a espada quebrada como herança ao seu filho, Sigurd, que, quando adulto, com a ajuda de Regin, consertou-a, reforjando a parte quebrada e usando-a para matar o dragão Fafnir. Sigurd conserva a espada Gram consigo, mas, à medida que sua narrativa se desenvolve, a espada some, não sendo mais mencionada.

Dizia-se que o deus Freyr tinha uma espada mágica, a qual trocou para obter a mão da giganta Gerda, filha de Gymir, em casamento. Essa narrativa é contada no poema "Skirnirsmál", na *Edda poética*. O gigante só aceitou conceder a mãos da filha em casamento em troca de algo precioso que valesse o dote, então Tyr ofereceu a espada. A arma não tem um nome, além de não ser informado que poder ela teria, porém, no mito do *Ragnarök*, vemos que, se Freyr estivesse em posse dessa arma, não teria morrido no combate contra Surtr.

Tendo mencionado Surtr, o mito do *Ragnarök* informa que esse gigante que governava Muspelheim tinha uma espada flamejante. O nome da arma não é revelado, e ela é a única espada nos mitos nórdicos cujo poder é descrito com clareza: soltar chamas e, quando em posse de Surtr, queimar os mundos durante o *Ragnarök*.

Uma quarta espada famosa foi a Tyrfing (Presa de Tyr), forjada pelos anões Dvalin e Durin; uma espada que jamais enferrujaria ou perderia o fio, e que supostamente cortaria pedra e ferro. Essa espada foi forjada para o rei Svafrlami, que ameaçou os anões; como vingança, estes amaldiçoaram a arma. Após ser confrontado pelo rei, o berserker Arngrim o matou e lhe tomou a espada como espólio. Mais tarde, Arngrim legou a Tyrfing a seu filho, Angantyr, que a levou para o túmulo. Vários anos depois, a filha de Angantyr, Hervör, foi ao túmulo do pai para conseguir a espada. O restante da história pode ser lido na "Saga de Hervör e Heidrik".

Na narrativa de "Beowulf" também é mencionada uma espada mágica sem nome. Quando descobre que Grendel tinha uma mãe tão monstruosa quanto ele, o herói decide ir atrás dela. A mulher vivia numa caverna submersa, levando Beowulf a ter de nadar em um lago para chegar no covil da besta. Enquanto ele luta com ela, sua espada Hrunting (presente dado por um guerreiro submetido) não consegue feri-la; o mesmo ocorria com Grendel, pois era protegido por algum tipo de magia, o que fez com que Beowulf lutasse com os próprios punhos contra o monstro, tendo conseguido matá-lo somente após arrancar seu braço, prendendo-o na porta. De qualquer forma, na caverna da mãe de Grendel, Beowulf encontra uma antiga espada embainhada, que usa para conseguir matar o monstro.

Na mesma história, o herói tem mais uma espada, chamada Naegling, que o acompanha ao longo dos anos. Essa arma era descrita como tendo uma lâmina brilhante e muito afiada. Beowulf a usou durante a luta contra o dragão, golpeando-o com tanta força a ponto de ela se quebrar após perfurar o coração da fera.

GJALLARHORN

Heimdall toca Gjallarhorn.
Lorenz Frølich, 1895.

Gjallarhorn (Chifre gritador) era o nome da trompa usada pelo deus Heimdall para soar o alarme no dia em que o *Ragnarök* teria início. Sempre que o deus estava de vigia na Bifrost, esse chifre era mantido próximo. O Gjallarhorn é mencionado brevemente em diferentes poemas, mas é só na *Edda em prosa* que ele é mais bem detalhado, informando-se que, ao ser tocado, o seu som seria ouvido em todos os mundos. Além disso, no dia do *Ragnarök*, Heimdall o sopraria, convocando os deuses e seus exércitos para a batalha final.

GUNGNIR

A lança Gungnir (Oscilante) foi um dos presentes dos deuses forjado por Brokk e Eirik (ou Sindri), anões que ajudaram Loki, que havia arranjado problemas com os deuses após cortar os cabelos de Sif. No intuito de se redimir de sua travessura, ele pediu que presentes fossem criados para os deuses, assim a lança Gungnir foi dada a Odin. Ela era uma arma mágica, pois o mito informa que, ao ser lançada, jamais erraria o alvo.

No entanto, os leitores devem se indagar: Por qual motivo Odin teria recebido uma lança em vez de uma espada ou machado? A resposta advém da simbologia. Entre povos antigos, a principal arma era a lança, condição pela qual, na mitologia greco-romana, alguns deuses e heróis eram descritos usando lanças, mesmo existindo espadas naquele tempo. Além disso, a lança era um símbolo associado a reis e governantes, então, por ser o rei dos deuses, a lança combinava com Odin e sua posição.

Ele também a teria usado durante seu sacrifício para obter sabedoria e conhecimento das runas, em que se enforcou e se perfurou, ficando pendurado por nove dias e nove noites em um dos galhos da Yggdrasil.

Odin cavalga Sleipnir segurando Gungnir. Lorenz Frølich, 1895.

MJÖLNIR

O Mjölnir (Esmagador) foi outro dos presentes dos deuses criados por Brokk e Eitri a pedido de Loki, como parte de sua ação para se redimir diante da afronta causada a Sif e aos demais deuses. Embora tenha sabotado a arma de forma traiçoeira, Loki a ofereceu a Thor em sinal de perdão. Durante o processo de forja, o deus do sarcasmo transformou-se em mosca e pousou em Brokk algumas vezes, atrapalhando-o no momento em que o anão preparava o cabo, por isso este acabou sendo curto. Ainda assim, tratava-se de uma poderosa arma, capaz de matar gigantes e abalar montanhas, além de poder ser arremessada e voltar para a mão de Thor.

O Mjölnir era um dos três tesouros do deus do trovão e era empunhado com a ajuda das *Járngreipr* (Luvas de ferro), o segundo tesouro, que lhe permitiam segurá-lo com firmeza sem jamais deixá-lo escorregar ou vacilar. O terceiro tesouro era o *Megingjord* (Cinto de força), que o deixava ainda mais forte. Sobre isso, alguns autores afirmaram que era necessário o conjunto das luvas e do cinto para poder empunhar o Mjölnir, mas essa não é uma afirmação exata, pois, na mitologia, o gigante Thyrm rouba esse martelo sem precisar usar esses acessórios; outros personagens inclusive empunham o martelo também sem essa necessidade.

A ideia de que o Mjölnir seria um martelo que só poderia ser levantado pelos dignos é uma invenção da Marvel Comics. Ele sequer atirava raios ou permitia que Thor pudesse voar (outras invenções dos quadrinhos).

Além de ser uma arma, o Mjölnir teve uma função religiosa, sendo usado para consagrar lares, juramentos e cerimônias. Nos séculos X e XI, algumas pessoas usavam pingentes na forma do martelo, como se fossem algo parecido com o crucifixo ou escapulário. Esses pingentes representavam a identidade religiosa de seu portador, assim como evocavam proteção e bênçãos do deus do trovão.

O terceiro presente — um martelo enorme.
Elmer Boyd Smith, 1902.

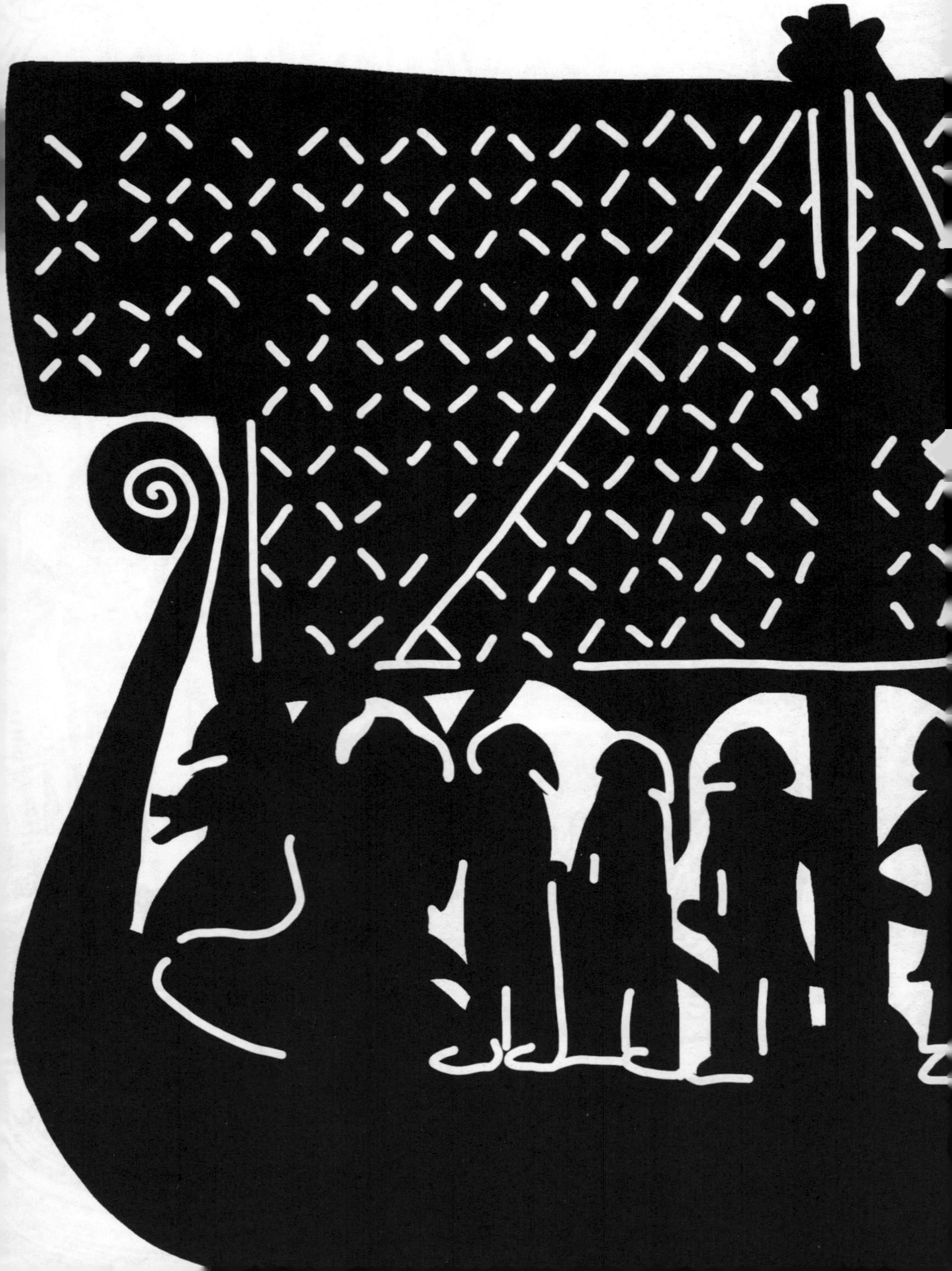

XIII
NAVIOS

Pedra de Lillbjär, em Gotland. Representa um herói sendo recebido em Valhalla, através de um navio viking. Museu de História Sueca, Estocolmo. Adaptado de Helena Bonnevier

HRINGHORNI

Era o nome do navio do deus Balder; essa embarcação é principalmente citada na *Edda em prosa*, na parte em que se comenta o funeral do deus. O nome deste navio, que significa "navio dos anéis", embora não se saiba exatamente o porquê, seria uma referência ao anel mágico Draupnir, dado de presente a Balder. Esse anel se multiplicava a cada nove noites.

No mito do funeral, Balder e sua esposa, Nanna, são colocados no Hringhorni junto aos seus pertences, presentes e cavalos. O navio, porém, era descrito como o maior dos navios dos deuses por ser tão grande e pesado que nem mesmo Thor, o mais forte dos deuses, conseguia movê-lo da praia para dentro d'água. Assim, os deuses chamaram uma giganta de aspecto sombrio chamada Hyrrokkin, que cavalgava um lobo e usava serpentes como rédeas. A giganta sozinha empurrou a grande embarcação para dentro d'água, irritando Thor, e todos assistiram à cremação.

Thor chuta Litr para dentro do navio em chamas de Balder. Emil Doepler, ca. 1905.

NAGLFAR

Naglfar era um navio cujo nome significa "unha distante". O nome bastante estranho refere-se à condição de que não era feito de madeira, mas das unhas dos mortos. Segundo a crença nórdica, em alguns casos, optava-se por cortar as unhas dos mortos para que não sobrasse matéria-prima para a construção dessa embarcação, que seria usada no *Ragnarök*.

O Naglfar é citado no poema "Völuspá" e no final do "Gylfaginning" da *Edda em prosa*. Ambas as fontes apontam que ele estaria associado aos gigantes e que viria de Muspelheim, o reino do fogo. De acordo com o "Völuspá", Hymir estaria neste navio, e Loki seria seu comandante. Já segundo a *Edda em prosa*, Hymir é que seria o comandante do Naglfar, conduzindo-o com os gigantes. Apesar das diferenças sutis, ambos os relatos concordam que o navio feito das unhas dos mortos apareceria somente durante o *Ragnarök*, o apocalipse nórdico.

Um navio e sereias. Gustave Moreau.

SKIDBLADNIR

Tratava-se do navio do deus Freyr, cujo nome significa "união de pedaços de madeira". Este navio curiosamente era uma embarcação mágica, tendo sido um dos presentes dos deuses encomendado por Loki aos anões Brokk e Eitri (há inclusive um mito sobre isso narrado na *Edda em prosa*). Mas por qual motivo era um navio mágico? Há duas respostas para isso. O primeiro é porque ele conseguia capturar bons ventos; sempre que sua vela era levantada, independentemente da situação do clima, ventos favoráveis chegavam. O segundo é o mais curioso: os anões o criaram de forma a ser encolhido para que Freyr pudesse guardá-lo no bolso ou numa bolsa.

O poema "Grimnísmál" informa que o Skidbladnir seria o melhor de todos os navios pertencentes aos deuses, mesmo que o Hringhorni e o Naglfar fossem maiores, pois era o único navio mágico, além de ser tão grande a ponto de poder receber todos os principais deuses. Apesar disso, ele não tem destaque na mitologia, sendo mencionado apenas brevemente nas duas *Eddas*, mas com menos informações do que os outros dois anteriormente citados.

Skidbladnir.

XII

MAGIAS NÓRDICAS

Informações sobre a magia nórdica são escassas, pois os praticantes daquele tempo não deixaram livros a respeito; os famosos grimórios de magia que são citados em sites, blogs ou por autores esotéricos são invenções da Idade Moderna ou do século XIX. O que se sabe sobre a magia nórdica da Era Viking advém de pesquisa que analisou menções a algumas práticas mágicas encontradas nas *Eddas* e nas sagas. Além disso, temos poucos casos de exemplares de magia rúnica daquele período, os quais mostram feitiços, mas não explicam como eles eram feitos ou funcionariam.

Na literatura nórdica, há diversos termos para se referir a magia e feitiçaria, alguns sem tradução exata, dentre os quais: *fjölkynngi*, *fjöllkunnigur*, *fróðleiknur*, *margkunnandi* e *fyrnska*. Já os praticantes de magia poderiam ser chamados de *spámadr* (adivinho), *galdrakind* (praticante de galdr), *seiðkona* (praticante de seiðr), *völva* (vidente), *flagðkona* (feiticeira), *trollkovina* (bruxa), *vikti*, *fála*, *hála* etc.

A magia nórdica basicamente se dividia em três tipos: o *seidr*, o *galdr* e a magia rúnica, cada um com diferentes utilidades. Sendo assim, a ideia de que o *seidr* sempre se referiria a uma magia danosa, feita para causar malefícios, não é exata, pois o *galdr* e a magia rúnica poderiam ser usados com essa finalidade. Entretanto, o que diferenciava esses tipos de magia não era essencialmente sua finalidade, mas a forma como eram praticados e os praticantes.

SEIDR

O *seidr* foi uma das magias mais comumente citadas na literatura escandinava. Em algumas passagens das *Eddas*, é informado que Freyja sabia usar essa magia, embora não possamos vê-la praticando-a em momento algum. Odin também é citado como praticante de *seidr*; no poema "Lokasenna", ele é zombado por Loki por conta disso, algo que será explicado adiante. O *seidr* também aparece em algumas sagas, e visto de forma negativa, como se fosse feitiçaria maléfica.

A palavra *"seidr"* significaria "canto", pois alguns dos feitiços e encantamentos seriam feitos por meio de cantos mágicos. O *seidr* era um tipo de magia principalmente associado às mulheres, dessa forma suas praticantes eram chamadas de *seidkona*. Por essa condição, mais tarde, essa magia foi associada à bruxaria, concepção formalizada no final da Idade Média, tornando as praticantes de magia mulheres pecadoras que teriam feito um pacto diabólico.

Os homens que praticavam *seidr* eram malvistos, pois eram considerados afeminados (*ergi*), e, na sociedade nórdica daquela época, homens afeminados e pessoas homossexuais sofriam preconceito, diferentemente do que se vê em filmes e séries atuais, em que personagens assumem uma sexualidade mais aberta; na realidade, isso não acontecia devido aos tabus sociais do período. Por isso, Loki zombou da masculinidade de Odin, que praticava *seidr* às escondidas numa ilha.

Odin e a Profetisa. Emil Doepler.

Mas o *seidr* ser restrito apenas às mulheres não era uma lei ou regra geral, apenas uma ideia. Dependendo da localidade e da época, homens praticavam *seidr* sem nenhum problema. Nesse ponto, é preciso salientar ao leitor que não havia doutrinas ou dogmas que definissem regras e normas para se praticar magia, portanto, em diferentes localidades, a mesma prática poderia ocorrer de formas diferentes.

O *seidr* era usado para se fazer adivinhação, obter boa sorte e proteção, encontrar objetos perdidos, curar alguns tipos de ferimentos, promover fertilidade, manipular o clima etc. No *Landnámabok*, livro que aborda a colonização da Islândia, há uma passagem em que uma vidente (*völva*) utilizou *seidr* para que os peixes voltassem a um estuário, um pedido da comunidade que morava ali. Na "Saga de Erik, o Vermelho", os groenlandeses chamaram uma *seidkona* islandesa para realizar um feitiço de fertilidade e banir a fome que afligia aquela ilha.

Nos dois exemplos anteriores, temos casos do uso benéfico dessa magia, mostrando que nem sempre ela era aplicada com intenções traiçoeiras e más, embora estas pudessem existir. O *seidr* poderia ser usado para proporcionar azar, infortúnios, acidentes, ferimentos, doenças, crimes, morte, manipulação, traição, intrigas etc. Na "Saga de Egil Skallagrimsson", o herói tem sua razão confundida pelo *seidr* praticado pela rainha Gunnhild, que o manipula à sua vontade. Na "Saga dos Ynglingos", a rainha Drífa recorre a uma *seidkona* para que ela mate seu marido, e a feiticeira invoca uma *nattmara* para isso.

Não se sabe como essa magia era praticada, pois as fontes não explicam os procedimentos, mas, ainda assim, sabemos que existiram rituais praticados apenas à noite, envolvendo cantos e danças (no "Lokasenna", há a informação de que Odin tocava tambor durante um ritual de *seidr*). O tambor era associado à magia nórdica, além de uma influência de crenças xamânicas advindas do norte da Escandinávia, dos xamãs sámis. Outros relatos também apontam a realização de sacrifícios de animais (prática comum inclusive para fins religiosos) e até o uso de altares.

GALDR

O *galdr* (palavra mágica) era outro tipo de magia e foi inicialmente associado apenas aos homens, por isso seus praticantes eram chamados de *galldra-smidr* ou *galldra-menn*; no entanto, mulheres também o praticavam, seguindo a mesma explicação dada ao *seidr*.

Alguns dos usos do *galdr* eram parecidos com o *seidr*, como para cura, sorte, proteção, segurança etc. O *galdr* poderia ser recitado durante tratamentos de saúde ou de ferimentos, ou mesmo durante um parto, além de ser usado para encantar amuletos ou objetos que forneceriam sorte ou proteção. A magia funcionava de forma parecida com o *seidr*, pois ambos eram praticados pela voz, pela palavra pronunciada, mesmo o *galdr* tendo fórmulas de se recitar, algo que parece não ocorrer com o *seidr*, pelo menos não na maioria das vezes.

Ao contrário do que aconteceu com o *seidr*, que acabou sofrendo preconceito mesmo durante e após a Era Viking, aparentemente o *galdr* foi mais benquisto, sendo associado à ideia de uma "magia benéfica", o que é um equívoco. O *galdr* também poderia ser praticado para fins danosos, como pedir que as armas dos inimigos, rivais ou desafetos perdessem o fio, que seus escudos se quebrassem, ou que eles sofressem algum acidente ou ferimento. O poema "Busluboen", presente na "Saga de Bósi e Herraud", apresenta o uso do *galdr* no aspecto ruim, usado, na ocasião, para se rogar uma maldição.

Groa proferindo magia de proteção.
W. G. Collingwood, 1908.

A maldição de Busla, mãe de Bósi, guerreiro encrenqueiro que foi condenado por matar o filho bastardo do rei Hring, é uma das melhores referências à prática do *galdr* para fins maléficos. Busla tenta impedir a morte do filho, mas Hring se nega, então à noite ela vai ao salão do rei e começa a recitar o *galdr*. Um dos trechos dessa maldição proferida em forma de poema é o seguinte:

> *Eu romperei seu peito,*
> *Que seu coração seja mordido por serpentes,*
> *E seus ouvidos*
> *Nunca ouçam*
> *E seus olhos*
> *Saltem para fora*
> *A menos que Bósi*
> *Tenha sua ajuda*
> *E a Herraud*
> *Deixe de odiar*

Em várias passagens do *galdr* amaldiçoado, Busla pede para que Hring sofra e tenha uma morte trágica; ela também deseja que infortúnios acometam a propriedade e o lar do rei e que sua alma seja atormentada após a morte, além de dizer que, caso perdoe Bósi e Herraud, ele será poupado da maldição.

MAGIA RÚNICA

A magia rúnica tem esse nome devido ao uso de runas. Não se sabe se o *seidr* e o *galdr* fariam uso de runas, no entanto, a magia rúnica utilizaria runas específicas e até mesmo palavras escritas para encantamentos e feitiços. Na Escandinávia medieval, três alfabetos rúnicos vigoraram: o Futhark antigo, com 24 letras, esteve em uso desde a Antiguidade até mais ou menos o século X, sendo gradativamente substituído pelo Futhark recente, ou Futhark escandinavo, com 16 runas, que ficou em uso até o século XII, quando foi substituído pelas runas medievais, com 30 letras, e o alfabeto latino.

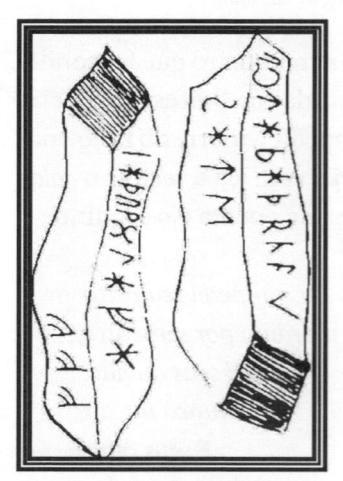

Ilustração da Runa *Gummarp* (500–700 AD), de Blekinge, Suécia.

Em cada um desses alfabetos rúnicos, além da variação das letras, seu valor e sua sonoridade também se alteravam. Logo, não se sabe ao certo como isso influenciava o uso desse tipo de magia, já que os vestígios encontrados são escassos e normalmente frases pedindo proteção, sorte ou algum infortúnio para desafetos. Mesmo tendo-se acesso a esses textos curtos, não se sabe como eles eram produzidos nem quais ritos eram necessários na hora de escrever um encantamento.

Em algumas sagas, é informado que determinados personagens fizeram uso de runas, tendo gravado runa da vitória na sua espada, runa de proteção num escudo, runa da sorte num amuleto. Todavia, em nenhum momento conhecemos tais runas. As suposições atuais são meras conjecturas, pois a magia rúnica difundida atualmente por esotéricos, ocultistas, neopagãos etc. são invenções contemporâneas.

Embora não se saiba quais runas exatamente seriam essas, os runólogos desenvolveram alguns termos para se referir aos seus usos mágicos. Vejamos alguns deles: runas da vitória (*sigrrúnar*), geralmente gravadas em armas; runas de proteção (*bjargrúnar*), gravadas em escudos, objetos, casas; runas de ondas ou de navegação (*brimrúnar*), escritas em navios e barcos para conceder bons ventos e águas calmas; runas de fala (*málrúnar*), as quais concediam eloquência; runas de ramos ou ervas (*limrúnar*), usadas para cura; runas de cerveja (*ölrúnar*), gravadas em cornos de beber e copos (não se sabe ao certo sua função). Havia algumas runas secretas usadas para feitiços secretos, cujo código somente os instruídos sabiam distinguir, pois as letras eram embaralhadas.

Do que se sabe da magia rúnica medieval, esta era usada para fins de proteção, sorte, amor, fertilidade, riqueza, cura, bem-estar etc. Mas há casos de feitiços rúnicos usados para fins negativos, em que se invocava azar, acidente, dor, sofrimento, calamidade, doença e outros infortúnios. Geralmente esses feitiços rúnicos depreciativos eram praticados em maldições dirigidas para algum desafeto ou grupo, então podia-se invocar gigantes, trolls e outros espíritos indefinidos para atentar contra as vítimas (havia, inclusive, a crença de que certos infortúnios poderiam ser ocasionados por essas criaturas que foram invocadas por algum feiticeiro ou feiticeira). O contrafeitiço rúnico a seguir mostra a ação de repelir o troll que estaria causando problemas para alguém. Então, duas ordens lhe são dadas; nota-se o tom imperativo:

Você, troll!
Que está aqui
Você deve sair
Você deve fugir

Por outro lado, evocava-se os espíritos de proteção, os elfos e os deuses para algum benefício. O exemplo a seguir mostra a menção a alguns deuses sendo convocados para ajudar naquele feitiço.

Ulf e Odin
E o Alto Tyr
São ajuda para Bur
Contra estes: dor e golpe de anão.
Bur (assinatura)

Observa-se que entender os feitiços rúnicos não é tarefa fácil. No caso acima, temos um homem chamado Bur, que pediu a ajuda de Ulf (não se sabe quem ele seria, pois não existe um deus com esse nome), Odin e Tyr contra dois males: dor e "golpe de anão". Todavia, não se sabe o que significaria o tal "golpe de anão"; tudo indica ser um termo popular para algum tipo de doença ou ferimento, pois trata-se de um feitiço de cura, em que Bur solicita dos deuses a cura para sua dor. O exemplo a seguir mostra um caso de runas de proteção. Aqui alguém escreveu um feitiço rúnico pedindo que Thor protegesse Bofi.

> *Esculpi aqui (runas de) ajuda para você, Bofi.*
> *Ajude-me! Conhecimento. É necessário para você.*
> *E que os raios mantenham todo o mal longe de Bofi.*
> *Que Thor o proteja com aquele martelo que veio de fora do mar.*
> *Fuja, maldade! Que Bofi não receba nada (de você).*
> *Os deuses estão sob ele e sobre ele.*

Nesse segundo exemplo, Thor é invocado para proteger Bofi com seus raios para afastar os males dele. Por isso, no final do feitiço, o tom imperativo para que o "mal fugisse" e nada causasse mal a Bofi.

As runas também eram usadas para a adivinhação, embora se desconheça como isso era feito naquele tempo, pois a ideia de "jogar runas", como se faz hoje em dia, foi concebida posteriormente. A magia rúnica não foi extinguida com o fim da Era Viking, pelo contrário, perdurou, memo sendo criticada pela Igreja Católica por ser uma prática pagã e de feitiçaria. Na Idade Moderna, por volta dos séculos XVI e XVII, sugiram grimórios referentes a magia rúnica, mas esses são interpretações daquela época, não feitiços medievais, como alguns já alegaram.

OUTRAS MAGIAS

Além dos três principais tipos apresentados, existiam outras variedades de magia. O *forspá* era a adivinhação que poderia ser feita com o uso de runas ou de outras formas hoje desconhecidas. Nessa prática, recorria-se aos deuses e espíritos para se saber sobre vitórias militares, fortuna, amor, glória, entre outros questionamentos.

O *nid* e o *akaevdi* eram magias difamatórias recitadas e que poderiam envolver o uso de oferendas e objetos; basicamente, seria algo como "rogar uma praga". Embora houvesse distintas formas de fazê-lo, nem sempre as sagas descreviam as práticas, mas um exemplo é o do *nidstong* ("bastão da injúria"), em que se usava um bastão mágico ou com uma cabeça de cavalo, e esse era posicionado voltado para a casa onde o alvo vivia. Ao avistar o *nidstong*, a pessoa saberia que foi amaldiçoada; mesmo que o alvo não visse o bastão, familiares, amigos ou vizinhos que o avistassem reconheceriam que uma praga ali fora rogada.

O *fóstbroerdralag* era um pacto mágico feito por grupos como os Jomsvikings e pessoas que selavam uma união por meio de um juramento de sangue. No poema "Lokasenna", é relatado que Odin e Loki fizeram tal pacto, embora não se saiba por qual motivo.

O *sjónhverfingar* era um tipo de magia ilusória usada para o alvo enxergar aquilo que não existia ou algo diferente da realidade. Ele também poderia ser empregado para se ocultar objetos e pessoas, e até mesmo causar cegueira temporária.

Existiam também magias de transmutação, como a *hamfar*, a qual era praticada por xamãs e feiticeiras, que conseguiam transmutar suas almas na forma de animais e realizar uma projeção austral. Entretanto, nas *Eddas*, é relatado que alguns deuses, gigantes e anões poderiam literalmente se transformar em animais. Por exemplo, Odin conseguia se transformar em águia e serpente no mito do hidromel da poesia; Loki conseguia se transformar em égua, salmão, mosca e pulga; o gigante Tjazi podia virar uma águia; o anão Otr se transformava numa lontra. Em algumas sagas, fala-se de feiticeiros e feiticeiras que conseguiriam virar animais, como gatos, falcões, lobos e até baleias.

A necromancia era uma prática citada nos mitos, embora não se tenha certeza se era de fato realizada. No poema "Völuspá", o deus Odin usa necromancia para reviver uma vidente (*völva*) e lhe fazer perguntas sobre o passado e o futuro. No poema "Balders drauma", Odin viaja a Helheim para contatar os mortos. A necromancia era usada nas sagas também para se criar supostamente *draugr* ou invocar fantasmas.

Odin e Völva. Laurentii Frølich, 1895.

RAGNAR

XV

SAGAS SELECIONADAS

Thora Townhart.
Jenny Nyström, 1895.

RAGNAR LOTHBROK

O texto a seguir é uma adaptação da narrativa encontrada no livro IX da *Gesta Danorum*, escrita por Saxão Gramático. Nesta versão do mito de Ragnar Lothbrok, é apresentada Lagertha e o motivo por Ragnar ganhar seu epíteto de "calças peludas". Saxão escreveu a narrativa como se fosse um relato histórico verídico; por ser extenso, decidiu-se encurtá-lo, contando a história até o momento em que ele conquistou seu epíteto.

Após a morte do governante Gøtrik, seu filho o sucedeu. Olavo decidiu vingar a morte do pai, levando assim a desordem e a violência aos seus inimigos, o que gerou uma guerra civil que deixou muitos mortos. Findada a vingança, Olavo mandou construir uma nova capital, a cidade de Lejre[30]. Ele seguiu governando por mais algum tempo até que morreu, sendo sucedido por Hemming, cujos feitos não são recordados, exceto ter conseguido selar a paz com o imperador Luís dos francos. Muitos outros governantes sucederam Hemming, até que chegamos a Sigurd Hring, um governante norueguês e descendente de Gøtrik.

Ele se casou com uma das filhas de Gøtrik e contava com o apoio dos escanianos e dos zelandeses, no entanto sua ambição o colocou em conflito com seu primo Hring, neto de Gøtrik, senhor da Jutlândia. Ambos os senhores travaram uma guerra pelo controle da Dinamarca, um conflito que durou cinco anos. Hring saiu vitorioso após invadir as terras de seu primo, levando Sigurd a ter de viajar para conseguir ajuda. Pensando que seu suserano estivesse morto, os zelandeses nomearam seu jovem neto, Ragnar,

---

[30] Atualmente, uma cidade na Dinamarca.

como novo governante. Isso revoltou Hring, que mandou invadir a ilha da Zelândia e massacrar os aliados de Sigurd.

Após o massacre, os zelandeses imploraram por uma trégua a Hring, que a concedeu sob a condição de eles tomarem uma decisão: abandonar Sigurd ou permanecer ao lado dele. O povo da Zelândia ficou sem saber ao certo o que fazer; se traíssem Sigurd, seriam atacados por ele; se rejeitassem a oferta de Hring, seriam massacrados novamente. Nessa ocasião de indecisão, o jovem Ragnar se pronunciou no *thing* (assembleia):

— Perdoem este jovem por se intrometer nos assuntos dos mais velhos, mas quem vem para dar um conselho sábio não deveria ser ignorado. Mentes dispostas a aprender devem engolir seu ego e ouvir. Sugiro que aceitemos a oferta do *jarl* Hring, mas que o façamos de forma dissimulada. Fingiremos nos aliar a ele contra o meu avô, faremos com que ele acredite que o povo da Zelândia traiu seu legítimo *jarl*. Às vezes é melhor não contrariar os mais fortes, sobretudo aqueles que mantêm espadas apontadas para nossas gargantas. Enquanto isso, seguiremos tramando. A raposa deverá ser capturada numa armadilha de astúcia.

Os membros do *thing* ficaram surpresos com a eloquência e astúcia de Ragnar, então decidiram acatar seu plano; fingiriam lealdade ao *jarl* Hring, aguardando o momento certo para traí-lo. Temendo que a trama pudesse ser vazada, o conselho enviou Ragnar para a Noruega, onde ficaria mais seguro. Então veio a fatídica ocasião em que ambos os *jarlar* se confrontaram no campo de batalha. Sigurd conseguiu ferir seu primo, que faleceu dias depois. Dessa forma, a Noruega e a Dinamarca foram unificadas, e anos de paz se seguiram.

Chegou o tempo em que o rei Frø dos suecos invadiu as terras norueguesas, levando Sigurd a confrontá-lo para defender seu reino. Contudo, durante a batalha, o rei foi morto; Frø invadiu a capital norueguesa[31], ordenando que fosse saqueada; as esposas, parentes e as servas de Sigurd foram feitas prisioneiras e enviadas para prostíbulos, onde eram oferecidas a qualquer homem que pagasse por elas.

Sabendo do ocorrido, Ragnar reuniu soldados leais e marchou para a capital. Lá ele encontrou mulheres que haviam se tornado viúvas e outras que haviam sido forçadas a se prostituir. Furiosas com as atrocidades cometidas pelo exército de Frø, elas juraram vingança, então pegaram as armas e vestiram as cotas de malha, tornando-se donzelas do escudo, determinadas

---

[31] O livro não informa qual cidade seria a capital.

a irem à guerra. Ragnar agradeceu pela bravura daquelas mulheres humilhadas e as aceitou em seu exército.

Uma das donzelas de escudo que se aliou à sua luta lhe chamou a atenção. Seu nome era Lagertha, uma jovem formosa que não usava o elmo, deixando seus cabelos esvoaçarem ao sopro do vento, e lutava de forma magistral e corajosa, indo para o front. Diziam que ela era estrangeira, mas não sabiam de que lugar teria vindo. A única informação que tinham era de que aquela guerreira tinha grande beleza, bravura e força.

O exército de Ragnar cercou a capital norueguesa, e homens e mulheres lutaram com unhas e dentes até derrotarem o exército de Frø. O rei invasor foi morto na ocasião, então Lagertha partiu. Mas a paixão havia tocado o coração do guerreiro, e Ragnar indagou aos seus companheiros quem era aquela donzela do escudo e onde vivia. Após pedir informações, descobriu que ela morava numa cabana no vale Gaulardal. Ragnar logo decidiu ir para lá, mas Lagertha soube que o novo rei estava interessado em cortejá-la, então decidiu testar sua coragem. A guerreira colocou um lobo e um urso diante da casa; se Ragnar fosse bravo o suficiente, não desistiria ante àquelas feras. Dito e feito: o novo rei matou o urso e o lobo, então bateu à porta, surpreendendo Lagertha, que aceitou o pedido de casamento.

Eles se casaram e tiveram duas filhas, cujos nomes são desconhecidos, mas o terceiro filho era varão e foi nomeado Fridlev. Ragnar passou os três anos seguintes em paz, mas esta nunca dura muito. Os jutlandeses se aliaram aos escanianos e invadiram a Zelândia, que era leal a Ragnar. Sabendo disso, o rei reuniu seu exército e enviou trezentas embarcações para o socorro. Ragnar passou os meses seguintes em campanha pela Dinamarca, participando de várias batalhas, até que finalmente derrotou os escanianos em Hvideby e venceu os jutlandeses em Limfjorden. No entanto, em meio a essas batalhas, sangue e morte, o amor por Lagertha esfriou[32], mas ele soube que a filha do rei Herröth estava em idade para se casar, e aquilo lhe interessou.

Herröth era um rei sueco que tinha uma única filha, a bela Thora. No passado, durante uma caçada, ele mandou seus homens recolherem duas cobras diferentes e as deu de presente à filha, que as criou como animais de estimação. As serpentes cresceram muito e ficaram terrivelmente ferozes, embora jamais tenham atacado a princesa. O pânico, porém, havia se instaurado, e o veneno das víboras matava as plantações. Arrependido

---

[32] O relato não diz claramente por que Ragnar perdeu o amor por Lagertha. Ele simplesmente pede o divórcio e parte para cortejar a filha de Herröth.

do que fizera, Herrörth disse que anunciaria a mão da filha em casamento para qualquer homem que matasse as serpentes. Bravos guerreiros aceitaram difícil empreitada, mas todos pereceram ao mortífero veneno.

Sabendo disso, Ragnar decidiu aceitar o desafio, pois não era homem de se acovardar. Pediu então que sua ama de leite lhe fornecesse grossas calças peludas, as quais o protegeriam contra as picadas das cobras. Era inverno quando viajou à Suécia e, chegando àquele reino, ele pulou no mar para que suas roupas se endurecessem com o frio. Estando pronto, seguiu ao salão de Herröth, levando o escudo, a espada e a lança consigo.

No salão, Ragnar travou batalha contra duas enormes serpentes que cuspiam veneno, porém o escudo e as calças peludas congeladas o protegeram das mortíferas picadas; dessa forma, Ragnar pôde matar os dois animais. O rei Herröth e a sua corte ficaram impressionados. O monarca achou curiosas as calças de Ragnar e o chamou de Lothbrok (o de calças peludas). Ragnar se casou com Thora, e, de início, eles tiveram dois filhos, Radbard e Dunvat. Depois o casal teve mais filhos, Sigurd, Bjorn, Agner e Ivar. Ragnar Lothbrok governou por mais alguns anos, empreendendo várias batalhas, até morrer na Inglaterra, onde foi vingado pelos filhos.

YNGVAR, O VIAJADO

O texto a seguir é uma adaptação da narrativa contada na "Saga de Yngvar, o Viajado", escrita no século XII, de autoria anônima. A narrativa é baseada numa expedição real, mas sobre a qual nada se sabe. Além disso, elementos fantásticos foram introduzidos na história.

No tempo do rei Olavo, o Tesoureiro[33], Yngvar era amigo do príncipe Anundo; juntos, ainda jovens, empreendiam viagens de negócios e políticas. Certo dia, o rei enviou os dois para agirem como coletores de impostos, e assim eles fizeram. Apesar de Yngvar ser eloquente, os chefes devedores se negaram a pagar as dívidas e ameaçaram matá-los, então Yngvar e Anund voltaram ao salão real e deram seu relatório. Indignado, o rei Olavo armou um exército e mandou os dois punirem os devedores, permitindo que eles e seus homens saqueassem à vontade e ficassem com os espólios. Após a vitória, Yngvar caiu nas graças do rei, passando a servi-lo. Nesse tempo, ele se casou e teve um filho chamado Sueno.

Yngvar tomou conhecimento das valiosas rotas mercantes no leste; ele estava interessado em viajar para lá em buca de riquezas. O rei Olavo[34] tentou dissuadi-lo, mas a ambição do guerreiro por aventura e fortuna falava mais alto. Com isso, ele armou trinta navios e zarpou para Gardaland (Rússia). Lá ele conheceu o rei Jarizleif, que o hospedou em sua corte por três anos.

Durante esse tempo, Yngvar aprendeu várias línguas e ouviu muitas histórias, dentre elas, a de que três grandes rios[35] cruzavam aquelas terras, indo ao Oriente. Intrigado com aquilo, decidiu descobrir onde esses rios desaguavam, pois diziam que era nas terras dos sarracenos[36], os quais eram povos ricos. Determinado a navegar por esses rios, Yngvar montou

---

[33]   Olavo, o Tesoureiro governou a Suécia de 995 a 1022.
[34]   A expedição de Yngvar teria partido em 1036. Nessa época, o rei Olavo já estava morto, tendo sido sucedido por seu filho, Anundo Jacó. O autor da saga cometeu um equívoco quanto à datação, até porque é dito adiante que a jornada de Yngvar se encerrou em 1041, tendo durado cinco anos.
[35]   A saga não menciona o nome desses rios. Mas talvez pudessem ser o Volga, o Dnieper e o Danúbio.
[36]   Sarraceno, neste contexto, é um termo genérico para se referir a povos muçulmanos sem distinguir sua etnia ou nacionalidade.

nova expedição, pediu as bênçãos ao bispo local e nomeou quatro capitães, Hjalmvigi, Soti, Ketil e Valdimar. Assim, trinta navios zarparam para o leste. Yngvar instituiu regras rigorosas para essa viagem: alguém teria sempre de ficar acordado à noite para vigiar e dirigir as embarcações, e ninguém poderia aportar sem sua autorização, sob pena de ter uma mão ou pé decepado.

Numa noite, Ketil, que era islandês, foi incumbido da vigia noturna. A certa hora da madrugada, entediado, ele decidiu ir à terra e explorar os arredores, até que viu uma grande casa. Com a porta destrancada, ele entrou e viu um caldeirão de prata na fogueira, o qual roubou sem pensar duas vezes. Enquanto corria de volta ao rio, ouviu passadas pesadas e, ao olhar para trás, viu um gigante. Ketil correu o mais rápido que pôde, mas, vendo que a criatura se aproximava, largou o caldeirão de tal maneira que um dos puxadores se quebrou. Ao perceber, Ketil o pegou e fugiu. O gigante logo parou de persegui-lo e recuperou seu caldeirão de prata.

No dia seguinte, os homens avistaram as pegadas na margem e contaram a Yngvar que alguém havia descido dos navios sem autorização. Yngvar questionou Ketil, já que ele era o vigia da noite, e este confessou que havia ido à terra firme, mostrou o puxador de prata e contou a história do gigante, mas clamou por misericórdia. Yngvar disse que lhe pouparia daquela vez, dando-lhe uma segunda chance.

Vários dias se passaram, e a expedição penetrava cada vez mais distante no leste europeu. Certa noite, os homens avistaram um estranho brilho vindo de uma colina, porém não se dispuseram a ir ver o que era. Valdimar, no entanto, que estava de vigia naquela noite, desobedeceu às ordens de deixar os navios e foi para terra, andando até a colina. Ao chegar ao topo, encontrou um ninho de cobras, mas entre elas havia um brilhante anel de ouro, o qual refletia o luar. As serpentes dormiam na ocasião, então Valdimar usou sua lança e pegou o anel; porém, uma das cobras despertou fazendo barulho, o que levou um dragão chamado Jakulus a acordar. Valdimar correu às pressas de volta ao rio.

Ouvindo o rugido do temível dragão, todos acordaram e fugiram de medo. Uns pularam para a terra, outros se jogaram na água. Jakulus, contudo, atacou um dos navios onde estavam missionários; a embarcação foi destruída, e toda sua tripulação foi morta. Em seguida, o animal voou de volta para seu ninho, na colina das serpentes. Apesar do ocorrido, a expedição retomou viagem[37].

---

[37] A saga não comenta por qual motivo Valdimar não foi punido, pois sua curiosidade fez com que um dragão destruísse um dos navios e matasse parte da tropa.

Semanas depois, a expedição chegou a uma região com grandes cidades, algumas com altos edifícios. As pessoas ali se vestiam de forma diferente, e as mulheres eram de uma beleza exótica. Em uma cidade cuja cidadela era feita de mármore, Yngvar viu uma ilustre dama que o convidou a aportar por lá. Ele descobriu que aquela bela dama falava muitos idiomas e que seu nome era Silkisif, a rainha daquele lugar. Ela os convidou até o palácio, e Yngvar aceitou e levou sua tripulação, mas alertou que seus homens deveriam obedecer às suas ordens: primeiro, não deveriam negociar com aqueles pagãos[38]; segundo, nada de sair do salão onde eles deveriam aguardar; terceiro, nenhuma mulher deveria entrar ali, exceto a rainha. Mas alguns homens reclamaram das ordens, então Yngvar os matou, como forma de aviso.

Yngvar e seus homens passaram o inverno naquela rica cidade. Durante esse tempo, ele conheceu os conselheiros e ministros, e a rainha Silkisif foi se encantando cada vez mais por ele. Ela, inclusive, propôs-lhe casamento, dizendo que lhe daria o título de rei e a riqueza de seu reino, mas Yngvar respondeu que aquilo deveria esperar, pois ele tinha uma missão a cumprir: chegar aonde o rio desaguava, na terra dos sarracenos. A rainha não gostou da resposta, mas na primavera Yngvar partiu.

No final do verão, a expedição deparou-se com uma frota de vários navios de remos, e um homem ricamente vestido se pronunciou em muitas línguas, até que falou em eslavo, cujo idioma Yngvar conhecia. O homem se chamava Jolf e dizia ser rei de uma cidade próxima, chamada Heliópolis. O rei ficou interessado na história de Yngvar e o convidou a ficar hospedado na sua cidade durante o inverno, ao que o viajante recusou; mas, após muita insistência do rei, Yngvar mudou de ideia. Nos meses seguintes, a expedição ficou parada em Heliópolis, outra bela e grande cidade pagã.

Terminado mais um inverno, Yngvar perguntou ao rei Jolf se ele sabia onde aquele rio terminava, ao que o monarca respondeu que fluía da nascente Lindibelti, de onde corria também para o mar Vermelho, onde havia um redemoinho chamado Gapi e o promontório Siggeum[39]. No entanto, o rei alertou que aquelas águas eram perigosas, por haver muitos piratas, os quais ocultavam seus navios com juncos. Além disso, Jolf pediu que Yngvar o ajudasse a lutar contra seu irmão, o qual ameaçava seu

---

[38] A saga não deixa claro de início, mas Yngvar e seus homens eram cristãos. Por isso a crítica aos pagãos.
[39] A geografia aqui mencionada é totalmente fictícia. Yngvar estaria em algum lugar do mar Negro, onde ficavam as colônias gregas, pois Heliópolis era baseada numa colônia dessas. O mar Vermelho fica situado no Egito, então nota-se uma mistura de localidades.

reino, mas o guerreiro disse que não poderia fazer isso imediatamente, e prometeu ajudar quando voltasse. Então, ele partiu.

A viagem sofreu novos atrasos, pois cachoeiras os forçaram a desviar por terra, tendo que transportar os navios sobre troncos. Após semanas de atraso, eles chegaram a uma terra desconhecida, onde se depararam com a casa de um gigante. Ele era tão feio que todos pensaram se tratar do próprio Satanás, então eles começaram a orar. Yngvar pediu que Hjalmvigi cantasse hinos de louvor, pois era um bom cantor. Além disso, fizeram jejum durante seis dias, pedindo que a criatura se afastasse e os deixasse seguir viagem. O gigante se retirou, então Yngvar e seus homens foram para a terra, invadindo a casa dele, cercada por uma muralha. Ali eles quebraram o único pilar que sustentava o teto, pegaram pedras e se esconderam.

À noite, o gigante retornou trazendo penduradas no cinto algumas pessoas, as quais ele devorou. Durante o sono, Yngvar e seus guerreiros atacaram o monstro e o mataram; um dos pés foi cortado a machadadas e levado como troféu para os navios. Dias depois, ao chegarem a uma parte mais larga do rio, onde havia uma bifurcação, a expedição foi atacada pelos piratas sobre os quais Jolf lhes havia alertado. Foi uma batalha muito dura, pois eles eram selvagens e atacavam com fogo-grego[40]. Yngvar decidiu rebater fogo contra fogo, então disparou flechas flamejantes nos juncos que cercavam os navios piratas, incendiando a frota inimiga.

Após a vitória sobre os piratas dos juncos, a expedição finalmente chegou à nascente do rio. Ali perto vivia numa caverna um dragão-serpente que guardava um tesouro[41]; a criatura rastejava até o rio para beber água. Yngvar então ordenou que sal fosse despejado no caminho entre a caverna e o rio, além de oferecerem o pé do gigante como isca, mas o plano não deu certo; o monstro engoliu o pé numa única bocada e lambeu todo o sal, depois foi beber água. Por três dias, a expedição ficou ancorada naquela região enquanto eles pensavam num plano para roubar o tesouro do dragão.

O plano não foi engenhoso. Certo dia, a criatura demorou para voltar. Yngvar e seus homens invadiram a caverna, coletaram o ouro que conseguiram e fugiram para se esconder logo depois, mas alguns homens acabaram fazendo barulho ou foram descuidados, então a fera os matou; os demais

---

[40] Fogo-grego era uma substância inflamável usada como arma pelos bizantinos. Era disparado como um lança-chamas primitivo.

[41] Essa parte da saga foi inspirada no mito de Sigurd e Fafnir, pois Fafnir era um dragão-serpente que guardava um tesouro numa caverna.

escaparam com o tesouro de volta aos navios. No dia seguinte, eles foram explorar a região e avistaram, sobre um morro próximo a uma cachoeira, um grande salão. Ao chegarem lá, notaram que ele era luxuosamente decorado, mas que ninguém o habitava, ou pelo menos não parecia habitar. Yngvar ficou desconfiado que pudesse ser alguma artimanha diabólica e perguntou se algum de seus homens teria coragem de passar a noite ali para descobrir se haveria algum perigo oculto. Soti se ofereceu, e os demais voltaram aos navios.

Navios viking no rio Tâmisa.
Everhardus Koster, séc. XIX.

Soti esperou pela noite até que foi surpreendido por um misterioso homem, que disse ser um dos demônios que habitavam aquele salão, o qual pertenceu ao antigo rei Siggeus, amaldiçoado com suas três filhas. O rei fora enterrado na caverna do dragão, a primeira e a segunda filha morreram, e a terceira fora transformada no dragão[42]. O demônio em seguida disse:

---

[42] Novamente, uma inspiração advinda do mito de Sigurd, pois o anão Hreidmar fora amaldiçoado, assim como seus filhos, Regin, Otr e Fafnir. No caso, Fafnir foi transformado em dragão.

— Preste atenção à história trágica do desafortunado Siggeus que lhe contei. Mas agora diga ao seu senhor que, há muito tempo, o rei Haroldo da Suécia[43] esteve aqui. Ele passou por este salão e pegou parte do seu tesouro, mas morreu no redemoinho no mar Vermelho. Se duvida de minhas palavras, tenho aqui o estandarte do rei. Entregue-o a Yngvar e diga que ele morrerá nessa jornada. Quanto a você, Soti, é um homem sem fé e injusto, então deverá ficar aqui conosco.

Soti ficou horrorizado com aquilo e passou a noite acordado devido à algazarra dos demônios que desfrutavam de um banquete no salão. Pela manhã, Yngvar e os demais voltaram ao local e encontraram apenas Soti, que estava com uma péssima aparência. O guerreiro relatou sua conversa com o demônio e entregou o estandarte do rei Haroldo. Em seguida, tombou morto; o Inferno havia reivindicado sua alma. A expedição deixou o local, mas, em memória do valente guerreiro, Yngvar chamou a cachoeira de Belgsoti.

Com isso, a expedição retornou ao reino de Heliópolis. Lá ele foi bem recebido pelo rei Jolf, que, alegre em vê-lo, disse que seu irmão, o rei Bjolf, e seus oito filhos estavam se preparando para invadir o reino. Cumprindo com sua promessa, Yngvar disse que ficaria para a guerra. Durante a batalha, uma armadilha usando rodas de espinhos atiradas pelo campo causou grande desordem, e, em meio ao caos, Yngvar avançou contra os filhos de Bjolf e os matou, levando o rei a fugir.

O espólio dos guerreiros mortos foi confiscado por Yngvar e armazenado no acampamento. Pela tarde, várias mulheres chegaram para seduzir os suecos, mas Yngvar foi incisivo ao dizer que aquilo deveria ser uma armadilha, que elas estavam ali para lhes roubar os espólios, então proibiu que os homens caíssem na sedução. À noite, as mulheres retornaram, mas os homens, alegres pela vitória e embriagados pelo vinho, levaram aquelas pagãs para a cama. Uma delas chegou a assediar Yngvar, que, irritado, a matou, considerando-a uma pecadora.

No dia seguinte, Yngvar soube que dezoito de seus homens haviam sido mortos e tido os pertences roubados. As mulheres haviam fugido. Após enterrar os mortos, a expedição seguiu viagem, mas semanas depois uma grave doença acometeu a tropa, e vários começaram a morrer. Eles retornaram ao reino da bela rainha Silkisif e lá pararam para enterrar os mortos e descansarem. No entanto, o valente Yngvar foi acometido pela doença; estava muito debilitado, então pediu para chamar Ketil, que foi seu confidente.

---

[43] Um rei fictício, pois se desconhece um monarca sueco com esse nome.

— Meu caro Ketil, velho amigo, fiquei doente e vejo que a morte se aproxima. Mas tenho fé que Deus me concederá sua misericórdia e que seu filho cumprirá com sua promessa. Entrego meu coração, meu corpo e minha alma às mãos do filho de Deus, e estou preparado para aguardar seu justo julgamento, pois fiz o melhor por todos vocês que estiveram sob meu comando. Agora lhe pedirei um último favor, meu caro Ketil: leve meu corpo de volta à Suécia e o enterre no cemitério de uma igreja. Pegue meu tesouro e o divida em três partes iguais, uma para as igrejas e missionários, uma para os pobres e uma para meu velho pai e meu filho, Sueno. Por fim, diga à rainha Silkisif que sinto muito por não poder cumprir com minha promessa.

Yngvar morreu e seu corpo foi colocado num caixão com terra. A expedição parou na cidade de Citópolis, onde vivia Silkisif. Ela reconheceu os navios suecos, mas, notando que o capitão não estava presente, perguntou sobre ele. Ketil respondeu que Yngvar jazia morto e ao lado do Senhor. Silkisif foi tomada de grande pranto e pediu para que deixassem realizar um funeral digno para aquele valente guerreiro e aventureiro. Então a rainha disse para Ketil e os demais:

— O deus dele é o meu deus. Leve meus cumprimentos aos familiares dele na Suécia e peça para o bispo enviar missionários para cá. Quero que uma igreja seja construída e que o povo seja batizado.

Assim chegou ao fim a vida de Yngvar, o que viajou a terras distantes. Ele morreu em 1041 do ano do Senhor, aos 25 anos, mas a história não termina por aqui.

A rainha Silkisif ordenou que o corpo de Yngvar permanecesse em Citópolis, aguardando que uma igreja fosse construída lá para que ele fosse enterrado como um cristão. Apesar de contrariar o pedido de Yngvar, Ketil não contestou a rainha, então zarpou com a expedição, agora formada por dezoito navios. Sem a liderança de seu capitão, contudo, os novos capitães se desentenderam. Ketil seguiu com uma parte rumo ao norte, para a Rússia, mas Valdimar pegou outro caminho, que o levou a Miklagard (Constantinopla). A terceira parte se perdeu, não se sabendo para onde eles foram.

Ketil passou o inverno na corte do rei Jarizleif e, no verão seguinte, voltou à Suécia, onde cumpriu com os últimos pedidos de seu capitão. Ele encontrou o jovem Sueno, que embora tivesse pouca idade, era mais alto do que os garotos da sua faixa etária. Ele ficou emocionado ao ouvir as histórias de seu pai, com o qual teve pouco contato, mas estava determinado a conhecer o leste também.

Anos se passaram e Sueno Yngvarson decidiu viajar até Citópolis. Ele armou trinta navios, levando consigo missionários, padres e o bispo Rodgeir, o qual abençoou três vezes a expedição antes de partir. De volta ao interior da Rússia, a expedição foi atacada numa emboscada por bárbaros, mas Sueno, clamando a vitória de Deus, conseguiu rechaçar o inimigo, que sofreu dura derrota. Mais tarde, a expedição chegou até a casa do gigante, do qual Ketil havia tentado roubar o caldeirão de prata. Mas, dessa vez, o monstro estava acompanhado de outros de sua raça. Sueno ordenou que todos os homens que pudessem usar um arco o fizessem, e uma chuva de flechas atingiu os brutos gigantes. Alguns caíram mortos, e outros fugiram. Em seguida, a casa foi saqueada.

Dias depois, eles encontraram um povo desconhecido, mas pacífico, o qual aceitou fazer comércio com eles. Entretanto, um dos ru's se desentendeu durante a negociação e matou o comprador, o que gerou confusão seguida de violência. Mas Sueno e seus homens eram guerreiros mais hábeis e conseguiram resistir ao ataque, forçando aqueles comerciantes a fugirem. A situação, no entanto, pioraria quando, ao pararem para descansar, alguns dos homens viram uma vara de porcos e se aproximaram para abatê-los, mas os suínos pertenciam a um estranho povo.

Seu líder carregava três maças enquanto marchava à frente de seu exército, que descia pelas colinas rumo ao rio. Sueno tomou aquele homem das maças por algum tipo de feiticeiro e estava certo, pois disparou uma flecha em direção à face, revelando ser uma máscara; ele tinha um bico e gritou estridentemente. Vendo que não teria como lutar contra aquele exército de bárbaros, a tripulação voltou aos navios e partiu novamente. Semanas depois, eles viram uma pequena cidade com bom porto e mercado, e ali decidiram parar para descansar e obter mercadorias. Tudo seguia bem até que os habitantes descobriram que os suecos e ru's eram cristãos. Aquilo os indignou, pois odiavam cristãos, então uma batalha teve início. Sueno mandou que os estandartes com a cruz fossem estendidos, e, ao verem o símbolo sagrado, os pagãos se assustaram, viram-se desorientados, o que permitiu que os suecos e ru's vencessem a batalha e conseguissem escapar.

Após alguns dias, eles avistaram a colina das serpentes, onde vivia o dragão Jakulus. Ketil, que participava da nova expedição, contou o que deveria ser feito. Sabendo que a criatura ali vivia, Sueno decidiu matá-la. Ele e alguns arqueiros se esconderam na floresta ao lado da colina, e um dos seus homens foi até o ninho de cobras para acordar a fera. Jakulus despertou furioso e voava com a boca escancarada na direção dos navios. Mas Sueno Yngvarson era um hábil arqueiro, então, acesa em fogo consagrado, disparou uma flecha flamejante na garganta da criatura, que foi atingida no coração e morreu em seguida.

Algumas semanas após o encontro com o dragão alado, a expedição chegou ao reino de Silkisif. Ao ver Sueno, a rainha soube que era filho de Yngvar, pois, embora fosse mais alto que o pai, ainda era parecido com ele. Ela quis beijá-lo, mas Sueno a impediu, pois disse que não beijaria uma pagã. Em seguida, ele disse que estava ali para atender ao pedido dela, tendo trazido um bispo, padres e missionários. A rainha ficou bastante alegre e aceitou se converter à fé de Cristo. Posteriormente, Sueno disse que veio cumprir com a promessa de seu pai em se casar com ela, e Silkisif aceitou. Dessa forma, Sueno Yngvarson foi coroado rei de Citópolis. Trajado em púrpura e usando coroa de ouro, ele foi aclamado pelo povo.

O rei Sueno ordenou a cristianização do povo de Citópolis e do restante do reino, e três anos depois uma grande igreja foi construída na capital, onde os restos mortais de Yngvar foram sepultados num sarcófago de pedra. Aquele templo foi chamado de Igreja de Yngvar. Tempos depois, Sueno voltou à Suécia para contar seus feitos. Os nobres pediram para que ficasse, mas ele disse que tinha um reino para governar em terras distantes. Após dois anos na Suécia, Sueno partiu de volta para seu reino, mas Ketil não o seguiu; ele voltou para sua casa na Islândia, onde contou esta história[44].

---

[44] Provavelmente, essa saga foi escrita na Islândia, como várias outras. Por isso a menção a Ketil, no final, ter voltado para seu país e narrado a história, escrita posteriormente.

GRIM CONTRA OS TROLLS

Esta é uma adaptação da "Saga de Grim Bochecha Peluda", datada do começo do século XIV, sem tradução para o português.

⚛

Dizem que Grim Bochecha Peluda era grande, forte e destemido. Ele foi chamado de "Bochecha Peluda" porque nasceu com uma das bochechas coberta de pelos escuros; nenhuma lâmina poderia cortá-lo ali. Grim assumiu a fazenda em Hrafnista depois da morte de seu pai, Ketil Trout, e assim ficou rico. Além disso, tornou-se o único governante de toda a Halogaland[45].

Grim, agora rico, assim como todo jarl, necessitava de uma esposa para propagar sua descendência e continuar com sua vida. Para isso, decidiu cortejar a bela Lopthoena, filha do jarl Haroldo de Oslo e de Geirhild Solgidótter. Com isso em mente, Grim armou um navio com dezoito homens e zarpou para o sul da Noruega, rumo ao fiorde de Oslo. Lá ele foi bem recebido pelo jarl Haroldo, que decidiu confirmar o pedido de casamento, marcando a celebração para o outono daquele ano. Grim voltou feliz para casa.

Meses depois, sete dias antes da data do casamento, Lopthoena misteriosamente desapareceu. Quando Grim chegou a Oslo na data marcada, ficou surpreso e alarmado pelo desaparecimento de sua noiva. Ele permaneceu três dias e três noites ali, tentando descobrir o paradeiro de Lopthoena, mas, sem sucesso, voltou para sua casa em Hrafnista.

Posteriormente, a fome assolou Halogaland, então Grim decidiu armar um barco pesqueiro e zarpar para o norte, até Finnmarca (Finlândia); de lá, navegou para o leste, rumo a Gandvik[46], local conhecido pela abundância de peixes. Numa caverna da praia, eles montaram acampamento e, durante a noite, uma nevasca atingiu aquela costa de forma tão violenta e poderosa que até parte da água do mar foi congelada. No dia seguinte, o grupo saiu da

---

[45]   Nome dado à costa oeste da Noruega.
[46]   Região no norte da Rússia na fronteira com a Finlândia.

caverna que lhes salvou a vida do mortífero frio e viu que os peixes haviam ido embora. Ainda assim, eles não desistiram e esperaram pelo dia seguinte.

À noite, Grim despertou após ouvir estranhas vozes vindas da praia. Ele pegou seu machado, saiu da caverna e então viu que seu barco estava sendo disputado por duas trolesas, as quais ameaçavam destruir a embarcação, pois cada uma a puxava de um lado. Grim então perguntou:

— Quem são vocês, mulheres horrendas? Nunca vi damas mais horríveis em toda a minha vida. O que querem com meu barco?

Uma das trolesas respondeu:

— Eu me chamo Bashful. Nós nascemos no norte, viemos da Colina Alta. Somos filhas de Frosty. Minha irmã se chama Splodge.

— Donzelas gigantes e desprezíveis, antes do nascer do sol, vocês sentirão minha fúria. Aos lobos, darei as duas como comida.

As trolesas gargalharam em deboche frente à ameaça de Grim Bochecha Peluda.

— Nosso pai foi quem enviou a nevasca de ontem[47]. Ele também controla os cardumes. Você e seus homens estarão à nossa mercê se quiserem viver — disse Splodge.

Aquilo irritou Grim, que voltou a ameaçá-las.

— Malditas filhas de Frosty! Saibam que nenhum troll ameaçará Grim Bochecha Peluda.

Ele voltou à caverna e pegou as flechas que Gusir lhe dera de presente. Com o arco em mãos, disparou as armas, matando Splodge. Bashful avançou contra Grim, que conseguiu desviar dos ataques dela por serem golpes lentos, então lhe cravou o machado nas costas, e ela grunhiu de dor, saindo fugida pela praia. Grim a perseguiu; foi uma corrida demorada, subindo por uma colina até chegar a um penhasco com uma caverna. Bashful começou a escalar, e o machado caiu de suas costas. Grim o pegou de volta e escalou em seguida, determinado a não deixar aquele monstro viver.

Na caverna, Bashful conversava com seu pai, Frosty, e sua mãe, Fiery, sentados diante de uma fogueira. Vendo a filha aflita, Frosty disse:

— Onde está sua irmã?

— Ela foi morta na praia, assassinada a flechadas por um terrível homem chamado Grim Bochecha Peluda.

O troll se levantou.

---

[47] O troll que é pai delas se chama *frosty*, que significa "gelado" em inglês. Seu nome combina com a ideia de ele ter enviado a nevasca. Trata-se de uma referência simbólica, algo comum nos mitos e algumas lendas.

— Quem é esse homem que ousou matar uma das minhas filhinhas? Ela era uma criança. Tinha só seis anos[48].

— Eu estou ferida nas costas, e o assassino me perseguiu pela praia. Ele deve ter vindo resgatar a noiva.

— Ele que tente!

Devido ao sangramento, Bashful logo caiu morta. Grim chegou em seguida à caverna e foi atacado por Frosty. Embora o troll fosse maior do que ele, Grim era homem de força excepcional. Eles lutaram, e Grim lhe cortou a cabeça. Em seguida, foi atacado por Fiery, que era ainda maior do que seu marido e filhas. Foi um combate bastante difícil, mas no fim Grim era mais ágil e habilidoso, tendo conseguido cansar a trolesa e perfurá-la mortalmente, além de lhe arrancar a cabeça. Obtendo a vitória antes do nascer do sol, como havia prometido às trolesas, Grim Bochecha Peluda voltou para o acampamento. No entanto, ele desconhecia o fato de que o troll Frosty devia saber do paradeiro de Lopthoena.

Ash Lad decapita o Troll.
Theodor Kittelsen, 1900. National Museum of Art, Architecture and Design

No dia seguinte, uma baleia encalhou na praia e morreu, então Grim e seus homens foram até o animal desafortunado para destrinchá-lo. Mas,

---

[48] A idade dos trolls nessa saga é contada de forma diferente da dos humanos.

enquanto o faziam, avistaram doze homens a cavalo vindo na direção deles. O chefe do bando se pronunciou.

— Eu sou Hreidar, e essa baleia me pertence.

Grim achou aquilo estranhou e retrucou:

— Eu a encontrei primeiro. E, pelo que vejo, ela não foi caçada, mas teve o azar de encalhar e morrer.

— Então você não sabe como as coisas funcionam por aqui. Eu sou o jarl dessas terras. Tudo que está na terra e no mar me pertence. Então, você e seus homens, tratem de se afastar de minha baleia.

— Não concordo com isso. Eu e meus homens estamos com fome e temos de levar comida para casa. Podemos dividir a baleia?

— Nada disso. Vocês têm duas opções: deixar a baleia e partir em paz ou lutar.

— Não posso voltar para casa sem comida. Meu povo depende disso — respondeu Grim. — Homens, às armas!

Uma terrível batalha se seguiu naquela praia pedregosa. A luta durou alguns minutos, mas Grim foi o único que restou, ainda que ferido e acreditando que aquele seria seu fim. Tombado na areia, respirava de forma cansada e olhava o céu de um azul pálido. No entanto, para sua surpresa, ouviu passos e, ao erguer a cabeça, avistou uma trolesa. Ela era grande, muito gorda e feia, tinha cabelos pretos e a pele escura[49]. A menina se aproximou e disse:

— Pobre senhor de Halogaland. Se quiser viver, Grim Bochecha Peluda, terá de confiar em mim.

— Quem é você, estranha mulher?

— Eu me chamo Geirrid Gandvik. Esteja ciente que devo lhe contar algo sobre essa baía, mas você terá de escolher se quer minha ajuda ou prefere aguardar a morte aqui.

— Existe um velho ditado que diz "todo mundo é ganancioso pela vida". Eu escolho sua ajuda.

Geirrid pegou Grim nos braços e o carregou até uma caverna num penhasco. Ali dentro, ela o colocou deitado no chão e disse:

— Para poder salvá-lo, terá de me beijar.

Grim ficou estarrecido com aquilo.

— Não posso fazer isso.

Geirrid não gostou da resposta, ainda mais depois de tê-lo ajudado.

---

[49] Alguns trolls eram descritos tendo a pele cinza, marrom e preta.

— Se não me beijar, deixarei que morra aqui.

Grim suava frio. Como poderia beijar uma mulher tão feia?

— Bem, então eu terei de fazê-lo, embora não o queira.

Ele beijou Geirrid. Estranhamente, o beijo não foi ruim, apesar de ela ser bastante feia. Como combinado, Geirrid tratou das feridas de Grim; ela costurou os cortes de forma tão habilidosa que ele não sentiu nenhuma dor (até suspeitou que ela tivesse usado magia). Em seguida, a trolesa arrumou a cama, e os dois dormiram juntos. Vencido pelo cansaço, Grim logo adormeceu, esperando que não tivesse de fazer outras coisas além de beijá-la.

No dia seguinte, ao despertar, ele se assustou com o que viu. No lugar em que a trolesa havia se deitado na larga cama, agora ele via uma bela mulher, que estranhamente se parecia com sua noiva, Lopthoena. Grim se levantou e viu que, no lado da cama dela, havia restos de cascas de troll. Então ele imediatamente recolheu tudo e jogou no fogo. Em seguida, acordou a mulher e, ao ver os olhos dela brilharem para ele, teve certeza de que era sua noiva prometida. Ambos se beijaram e se abraçaram. Grim mal podia acreditar que sua noiva desaparecida tivesse sido transformada numa trolesa e que seria encontrada logo ali.

— Agora nós dois estamos bem. Primeiro eu salvei sua vida e agora você me resgatou de uma maldição.

— Mas como você chegou até aqui? Quem fez isso com você?

— Foi minha madrasta. Há cinco anos minha mãe, Geirhild, faleceu e meu pai se casou com Grimhild Josurdóttir, que descobri ser uma trolesa[50]. Eu nunca soube disso até o dia em que ela me amaldiçoou. Ela sempre me detestou, e, vendo minha felicidade ao poder me casar com você, meu amado Grim, ela me lançou uma terrível praga. Disse que eu me transformaria na mais feia das trolesas, de forma que nenhum homem aguentaria olhar para mim e que até os trolls, que são feios, zombariam de minha feiura. Então ela me enviou para cá, para Gandvik, onde vivia a família dela.

— Frosty e aquelas trolesas eram parentes dela?

— Sim. Frosty era irmão dela. Eles me mantiveram presa aqui e me maltratavam. Mas vi que você matou todos os quatro.

Aquilo deixou Grim aliviado.

— Mas como eu consegui quebrar a maldição?

---

[50] De acordo com os mitos, alguns trolls conseguiam se transformar em humanos.

— Grimhild disse que, para quebrar o encantamento, um homem deveria fazer três coisas: aceitar minha ajuda, me beijar e dormir ao meu lado. Você fez tudo isso.

Eles se abraçaram novamente.

— Agora poderemos nos casar — falou Lopthoena, chorando de alegria.

Grim e sua amada voltaram à praia no dia seguinte, e recolheram os pertences dos mortos e o que poderia ser útil. Ele carregou o navio com a carne de baleia e zarpou de volta a Hrafinista. Dias depois, ao chegar acompanhado de sua noiva perdida e sem seus homens, surpreendeu os moradores da fazenda. Grim lhes contou todos os problemas e perigos que enfrentou na distante baía de Gandvik, onde viviam trolls e um jarl arrogante.

Posteriormente o casal viajou para Oslo. Haroldo e Grimhild ficaram surpresos ao ver Grim chegar acompanhado de Lopthoena. A maior surpresa foi da malévola madrasta, que, depois da sensação de surpresa, foi tomada pela raiva, ao ver que seu diabólico plano havia fracassado. Um banquete foi servido para comemorar o retorno da filha do jarl, mas depois disso Grim e Lopthoena contaram a Haroldo sobre o que Grimhild havia feito. O jarl, que sabia que sua filha nunca fora de lhe mentir, acreditou nela e confrontou Grimhild, que negou a acusação. Depois que fora ameaçada por Grim, acabou confessando o crime. Grimlhid foi condenada à morte, sendo apedrejada. Depois de vários perigos e risco da morte, o casamento foi celebrado.

Starkad, o Alto

A narrativa a seguir é uma adaptação dos relatos sobre Starkad contido nos livros VI e VIII da *Gesta Danorum*. No caso, não existe uma saga sobre esse personagem, pois ele aparece em diferentes narrativas e é citado até mesmo em algumas sagas. A maior parte da sua história é narrada no sexto livro, terminando no oitavo.

Starkad era descrito como um guerreiro bastante forte e alto, por isso diziam que ele seria um gigante, já que nenhum homem comum teria aquela estatura e força[51]. Ele era filho de Storvaerk, que vivia no leste do mar Báltico. Certa vez, Starkad e seus homens navegavam pelo Báltico quando sofreram um naufrágio. Starkad foi o único a sobreviver, conseguindo nadar até terra firme, vindo a descobrir que era o reino do rei Frothi, um monarca entre os suecos. O soberano ficou impressionado com o tamanho e força de Starkad e o tomou como seu guarda. Após alguns anos servindo ao rei Frothi, este concedeu um navio e uma tripulação a seu valoroso guerreiro, permitindo que ele pudesse partir. Mas Starkad ansiava por aventura, riqueza e fama, então passou a viajar pelo norte em busca de tudo isso.

As antigas histórias falam que Starkad só poderia ser alto e forte daquela forma por ser filho de gigantes. Diziam que ele teria nascido com seis braços, porém Thor lhe arrancara quatro, mas essa é uma história contada pelos pagãos. Eles dizem também que Odin amaldiçoou Starkad, concedendo-lhe a vida de três homens[52], mas em troca teria de matar três homens cruéis. Como não podia contrariar os deuses, Starkad aceitou seu destino imposto.

Seu primeiro alvo era o rei Vikar da Noruega, homem que havia perdido as graças de Odin, que decidiu que ele deveria ser morto. Para isso, enviou Starkad. Todavia, o guerreiro foi instruído a não matar o rei Vikar

---

[51] Somente na *Gesta Danorum* há menção de que Starkad poderia ser um gigante. Nas outras fontes ele é referido como um homem alto. Sua estatura não é mencionada, mas provavelmente teria mais de dois metros de altura.

[52] Significa que ele viveria a idade somada de três homens, mas o tempo não é especificado.

de imediato, pois ele ainda tinha um papel importante a cumprir. Starkad se ofereceu para servir o monarca, que o acolheu de bom grado, partindo para algumas batalhas e participando de ataques vikings. No entanto, em certa ocasião, enquanto estavam em expedição longe de casa, os ventos se tornaram selvagens, impedindo o retorno. Isso perdurou por um ano, levando Vikar a temer por sua vida e pela segurança de seu reino, já que estava mais distante do que imaginava. Então sugeriu realizar um sacrifício para apaziguar os deuses, um pouco de sangue real seria ofertado. Além disso, fingiria se enforcar num carvalho, como às vezes faziam os guerreiros a Odin. Enxergando uma oportunidade, Starkad decidiu agir, apertando o laço de Vikar e o apunhalando com a espada. O sangue real havia sido derramado. Vikar fora realmente sacrificado; não foi uma farsa.

Tendo eliminado o primeiro alvo, Starkad seguiu a vida como viking, pilhando em vários lugares. Nesse tempo, ele conheceu os vikings dinamarqueses Bemuni e Frakki, que se tornaram seus companheiros de viagem e saque. Após assaltar várias localidades pelo mar do Norte, o trio zarpou rumo à Rússia, confrontando os ru's, que, mesmo valendo-se de armadilhas, como espinhos e grampos, não conseguiram barrar a fúria viking dos saqueadores. O líder deles, um homem chamado Flokk, foi capturado em sua fortaleza numa montanha. Muitas mortes ocorreram, e os navios voltaram abarrotados de ouro e prata.

Tempos depois, Bemuni faleceu, o que levou Starkad a perder o interesse pelos ataques vikings; então, em visita à Biármia (uma região situada no noroeste da Rússia), Starkad foi convidado a se juntar aos biarmeses, pois era um guerreiro formidável, e foi eleito o seu campeão. Assim, permaneceu algum tempo vivendo naquela terra até que voltou à Escandinávia, indo viver na Suécia, onde morou sete anos sob a proteção do rei Fro. Lá ele conheceu Haki, um jarl da Dinamarca, que o convidou a ir até a Irlanda para cometer atos de pirataria. Durante os sete anos que viveu na Suécia, em Uppsala, Starkad acabou desenvolvendo grande saudade do mar e aceitou o convite.

Naquele tempo, a Irlanda era governada pelo esnobe e ganancioso rei Huglek, conhecido por sua imensa fortuna, mas por ser avaro com os justos e benevolente com os bajuladores e bufões. Os irlandeses detestavam a falta de caráter de seu rei, mas nada podiam fazer para enfrentá-lo, pois o monarca contava com dois campeões ao seu serviço, os valentes Gegath e Svipdaf. Estes comandaram o exército irlandês para evitar o ataque viking de Haki. Durante o conflito, Haki foi golpeado mortalmente na barriga por Gegath, que lhe fez arrancar suas tripas. Starkad avançou contra Gegath, mas levou um duro golpe na cabeça. Apesar do ataque certeiro, este não lhe causou dano algum, apenas cortou alguns fios de cabelo.

Furioso, Starkad revidou os ataques, matando Huglek e seus campeões, forçando o exército a fugir de medo. Os que foram feitos prisioneiros foram punidos a chicotadas e sujeitos ao vexame pela covardia e por servirem a um rei indigno. Starkad ordenou que o tesouro de Huglek, guardado em Dublin, fosse dividido entre o povo, o qual, por anos, fora usurpado pelo tirano ganancioso. O tesouro era tão abundante que dizem que todo irlandês conseguiu ao menos uma moeda de ouro. O segundo assassinato do qual Starkad fora incumbido havia sido cumprido. Ele então se tornou um duplo regicida. Tempos depois, Starkad foi convidado por Vin, rei dos Vendos, para ajudar na guerra contra tribos eslavas na Europa Oriental. Ele aceitou o convite e participou de várias campanhas contra os Kurlanders, Samlanders, Semgallis e outros povos inimigos dos Vendos, além de ter realizado grandes feitos marciais, entre eles o de enfrentar e derrotar o poderoso feiticeiro Visin, que morava numa torre num penhasco chamado Anafial. Diziam que Visin, apenas de olhar para as armas, tirava-lhes o fio, então Starkad protegeu sua espada dentro de uma pele de animal, escondendo-a, e fingiu marchar desarmado para confrontar o cruel feiticeiro; assim, ele pôde surpreendê-lo durante o combate e matá-lo.

Após ajudar os Vendos a obter vitória sobre seus inimigos, Starkad viajou para Constantinopla, servindo como mercenário. Nas terras dos bizantinos, ele confrontou um homem alto e forte, que alguns diziam ser filho de gigantes, chamado Tanna. Ambos lutaram de forma árdua e quase de igual para igual. Starkad ficou admirado com a capacidade de seu adversário e lhe poupou a vida, permitindo que fosse banido para o exílio.

Os saxões decidiram invadir a Dinamarca e desafiar o rei Frothi num duelo, evitando, dessa forma, uma guerra desnecessária. Frothi aceitou o desafio, e os saxões estavam confiantes de que venceriam, pois o velho já não lutava com habilidade como antes. Contudo, para a infelicidade dos saxões, Starkad retornou da viagem ao leste e se apresentou como campeão do rei. Os saxões conheciam a sua fama, mas não se deixaram intimidar. Escolheram Hama como seu campeão, prometendo-lhe seu peso em ouro pela vitória. Assim, o duelo foi preparado para o dia seguinte; começaria com uma luta desarmada e depois armada, caso os competidores não se rendessem ou fossem nocauteados.

Hama era um lutador muito forte e habilidoso, e conseguiu fazer o que poucos haviam feito: derrubar Starkad, acertando-o com um soco tão forte no queixo que o fez tombar. Os saxões acreditaram que aquele era o sinal da vitória, mas Starkad, furioso, levantou-se, desembainhou sua espada e, com um único ataque mortal, cortou Hama ao meio. Em recompensa, o Frothi lhe deu muitas terras e sessenta escravos. Mais tarde, empreendeu campanhas punitivas contra os saxões, afastando-os de suas fronteiras no sul. Anos depois, o rei morreu numa conspiração e foi sucedido por seu filho, Yngvald, um jovem monarca desleixado, arrogante, esnobe e libertino. Starkad, que sempre prezou pelo bom comportamento, acabou deixando a corte do novo rei e retornando à Suécia, onde passou a servir Halfdan, um monarca justo.

    O rei Yngvald da Dinamarca tinha duas irmãs, Helga e Asa. A mais velha, Helga, em idade para se casar, foi cortejada por um jarl norueguês chamado Helgi. Yngvald, porém, estipulou que Helgi só poderia se casar com a irmã se derrotasse seus campeões. Helgi sabia que não era tão bom guerreiro assim, mas realmente amava Helga, que também ansiava pelo matrimônio. Então, viajou até Uppsala para encontrar Starkad e lhe contou sua história. O alto guerreiro, conhecido, além da sua força e altura, por sua honra, decidiu ajudar Helgi.

    Dias depois, Helgi voltou à corte de Yngvald e disse que aceitaria o desafio, mas que colocaria um campeão para lutar em seu nome. Starkad entrou no salão e avistou os nove campeões de Yngvald, irmãos arrogantes e boçais. Eles se embriagavam, falavam asneiras e se comportavam como bufões. Starkad os repreendeu dizendo que eram indignos de serem campeões de um rei por terem uma postura tão desleixada, mas aqueles homens torpes gargalharam e zombaram do velho guerreiro, pois, naquele tempo, o peso da idade já havia se assentado sobre seus ombros largos.

    Yngvald, que nutria um dissabor por Starkad, pois este decidiu não o servir, como havia feito ao seu pai, decidiu que Starkad e Helgi lutariam contra os seus nove campeões, e o alto guerreiro, que nunca foi homem de recuar diante de desafios, apesar de velho, aceitou a exigência. O combate foi travado ao sopé de um monte, próximo a um riacho. Ali Starkad aguardava a chegada de Helgi para começar o conflito, mas este não apareceu, e a luta teve início mesmo assim. Ele conseguiu matar seis dos irmãos com facilidade, mas os outros três eram mais fortes e habilidosos e conseguiram feri-lo gravemente antes de morrer. Starkad estava tão abatido que tombou ao chão e rastejou até o riacho para saciar a sede após a batalha, mas viu que as águas estavam vermelhas, pois um dos irmãos, chamado Angantir, havia tombado ali. Ele então preferiu manter a sede a beber daquela água suja.

    Para tentar se salvar, rastejou até uma rocha e se encostou. Dizem que ela afundou com seu peso, mas isso deve ser uma história inventada por camponeses. No entanto, Starkad ficou ali aguardando pela morte, pois seus ferimentos eram graves, e o duelo, que deveria ter sido justo, ocorreu numa emboscada, não havendo quem testemunhasse a luta e quem pudesse ajudá-lo. Enquanto aguardava pelo fim, algumas pessoas passaram para prestar socorro, mas Starkad era homem muito orgulhoso e recusou a ajuda de um oficial de justiça, pois não confiava nesse tipo; depois recusou a ajuda de uma escrava, por sua condição. Em dado momento, passaram por ali um agricultor e seu filho, que também lhe ofereceram socorro. De início, Starkad relutou, pois se considerava deveras nobre para ser socorrido por plebeus, mas, percebendo a humildade naqueles homens, aceitou a ajuda dos dois, que trataram de suas feridas e o levaram de volta ao salão de Yngvald.

Ao retornar ao salão, Starkad ficou furioso com Helgi por sua deslealdade, já que este fora procurá-lo para ajudar e não compareceu à luta, mas passou o dia dormindo ao lado da esposa. Apesar de ferido, Starkad arrebentou a porta aos chutes. Helgi empunhou uma espada e lhe desferiu uma estocada contra a cabeça, acertando de raspão sua testa. Mas Helga pegou um escudo e se colocou entre os dois guerreiros. Starkad, por devoção a Helga, decidiu poupar a vida de Helgi e desconsiderar sua desfeita. Então partiu, retornando à Suécia, onde descobriu que o rei Halfdan havia sido morto por rebeldes. Starkad matou todos eles e ajudou a entronar o príncipe Sigurd. Então pôde viver em paz por mais algum tempo.

Certa vez, chegaram notícias aos ouvidos de Starkad, o Velho Alto, de que o rei Yngvald havia agraciado com terras e honrarias os conspiradores da morte de seu pai. Aquilo irritou bastante Starkad, que sempre nutriu grande amizade e respeito por Frothi, então jurou vingar sua honra, mesmo que significasse matar seu filho canalha.

Ao chegar à corte de Yngvald, Starkad foi bem recebido, apesar de ter sido zombado pelo rei, a rainha e outros convidados. Além disso, ele ficou espantado com a falta de modos à mesa. O banquete era marcado por baixarias; embriaguez desenfreada, gula, desperdício de comida, zombarias e cantos obscenos, entre outros comportamentos desaprovados por Starkad, que dizia que Yngvald e sua corte se comportavam como bárbaros. Apesar de tudo, o velho homem conteve-se para não se retirar do salão, controlando a raiva diante das galhofas e bajulações. Em determinado momento, Starkad se levantou e declamou um poema exaltando a memória do falecido Frothi. Porém, o filho, a nora e outros convidados riram dele, achando que se tratava de um velho caduco.

A paciência de Starkad já estava se esgotando, principalmente quando descobriu quem eram os conspiradores da morte do rei Frothi, homens gananciosos e vis que compartilhavam da mesa do rei, sentados próximos a ele, conversando e bebendo como se fossem melhores amigos.

Impelido pela fúria até então contida, Starkad levantou-se e desembainhou a espada para confrontar os filhos de Sverting, os conspiradores. Ele matou todos eles e, quando Yngvald, assustado com aquilo tudo, indagou o motivo de o velho guerreiro iniciar aquela matança, Starkad explicou que o rei era um ingrato e profanava a memória de seu pai, tendo feito amizade e acolhido os homens que mandaram matá-lo. Dito isso, Starkad cortou a cabeça de Yngvald e matou quem o atacou. O banquete, antes regado a vinho, terminou regado a sangue; o terceiro desonrado rei havia sido morto.

A conquista de Starkad.
Da obra de Olaus Magnus, *Historia de gentibus septentrionalibus*, 1555.

Starkad então passou a ser chamado de regicida por alguns, pois cumprira a profecia dada por Odin: três homens vis serem mortos.

Mais algum tempo se passou, e Starkad já estava afastado do campo de batalha e das lutas, porém, como havia sido um guerreiro pela maior parte da vida, seria uma desonra morrer numa cama, aguardando o último suspiro. Assim, para alimentar sua honra de guerreiro, o melhor seria morrer em batalha. Starkad teve uma vida muito longa, a vida somada de três homens, e realizou grandes façanhas, mas, apesar da fama, levou uma vida austera. Então, apesar de velho, corcunda, cansado e fraco, ele tomou para si duas espadas e dois cajados, e saiu de casa em busca da morte, pois já estava cansado de esperar. Odin pode até ter lhe conferido glória, mas também estendeu sua vida mais do que deveria, pois Starkad era um homem muito velho, que já não conseguia andar sem apoio, sem contar os olhos, que não enxergavam mais direito, e os ouvidos, que não escutavam como antes.

Enquanto seguia seu rumo incerto, um camponês que avistou e não reconheceu o poderoso guerreiro de outrora zombou dele, perguntando-lhe o porquê de um velho de muletas precisar de duas espadas, tendo pedido uma delas logo em seguida. Starkad, que sempre foi impaciente com zombeteiros, matou o camponês sem nenhum pingo de remorso. Ao fazê-lo, um outro homem, chamado Hathar Lennison, reconheceu Starkad, e lembrou-se de que, anos atrás, ele havia matado seu pai. Então Hathar decidiu se vingar: soltou dois grandes cavalos desenfreados pela estrada para que atropelassem o velho, mas Starkad, brandindo seus cajados, os afugentou.

Hathar aproximou-se de Starkad e conversou com ele, dizendo que havia matado seu pai, Lenni, alguns anos atrás. O velho demorou para se recordar, pois sua memória já era nublada, como a dos idosos costumam ser, mas, recordando-se de quem foi Lenni, um homem de nobre estirpe, Starkad cantou um poema em homenagem aos seus feitos de outrora e à luta contra ele. Em seguida, ofereceu-se para morrer e ainda disse que Hathar tinha o direito de matá-lo para vingar a morte do pai; em recompensa, ele poderia ficar com seu ouro. Hathar desconfiou que aquilo fosse uma mentira, uma armadilha, mas o velho homem foi firme em suas palavras, e assim ajoelhou-se para que Hathar lhe cortasse a cabeça. O jovem guerreiro mandou construir um túmulo para Starkard e assim terminou sua história. Um homem de grande força e façanhas, mas que morreu como um velho moribundo que conseguiu salvar a própria honra.

CURIOSIDADES NÓRDICAS XV

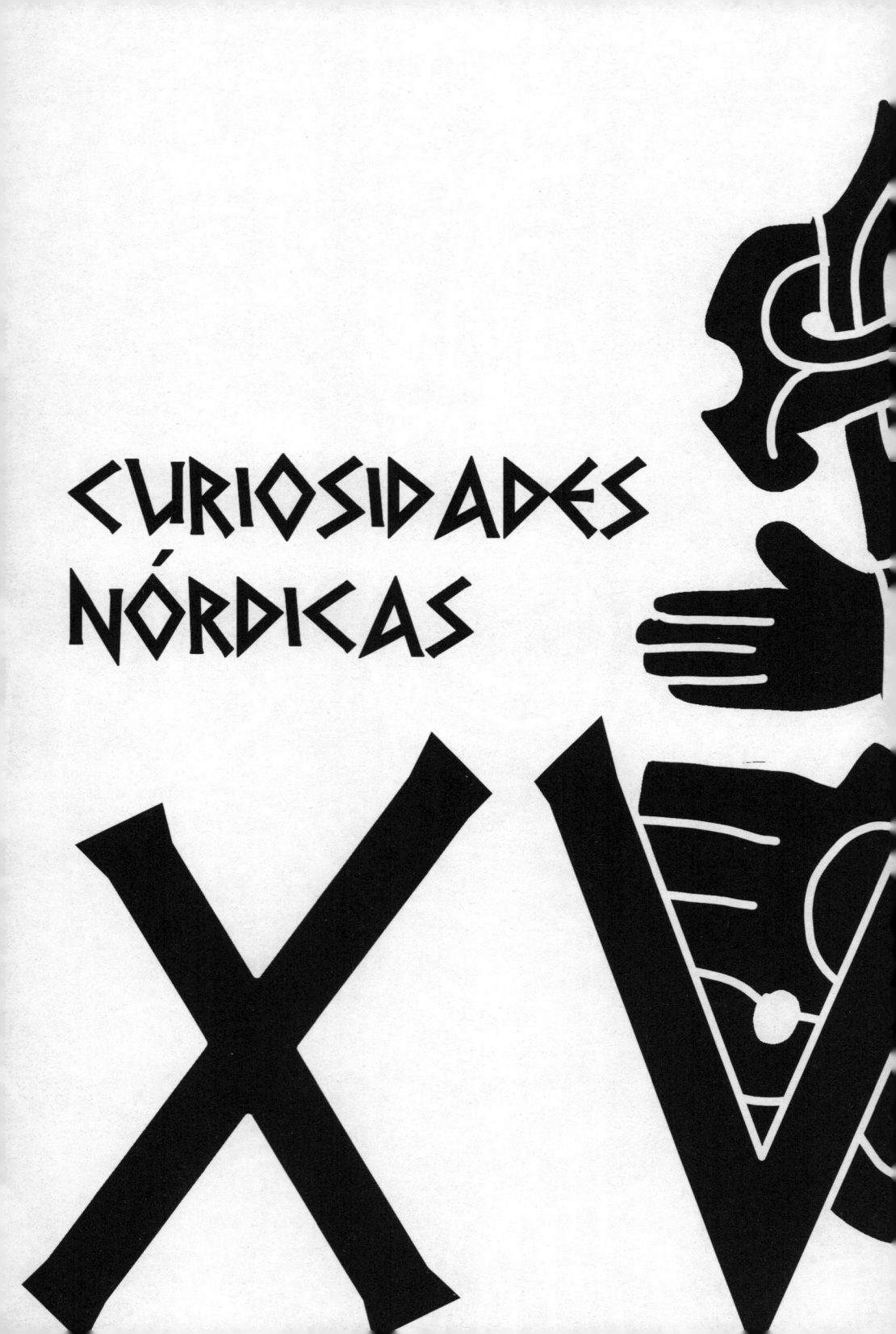

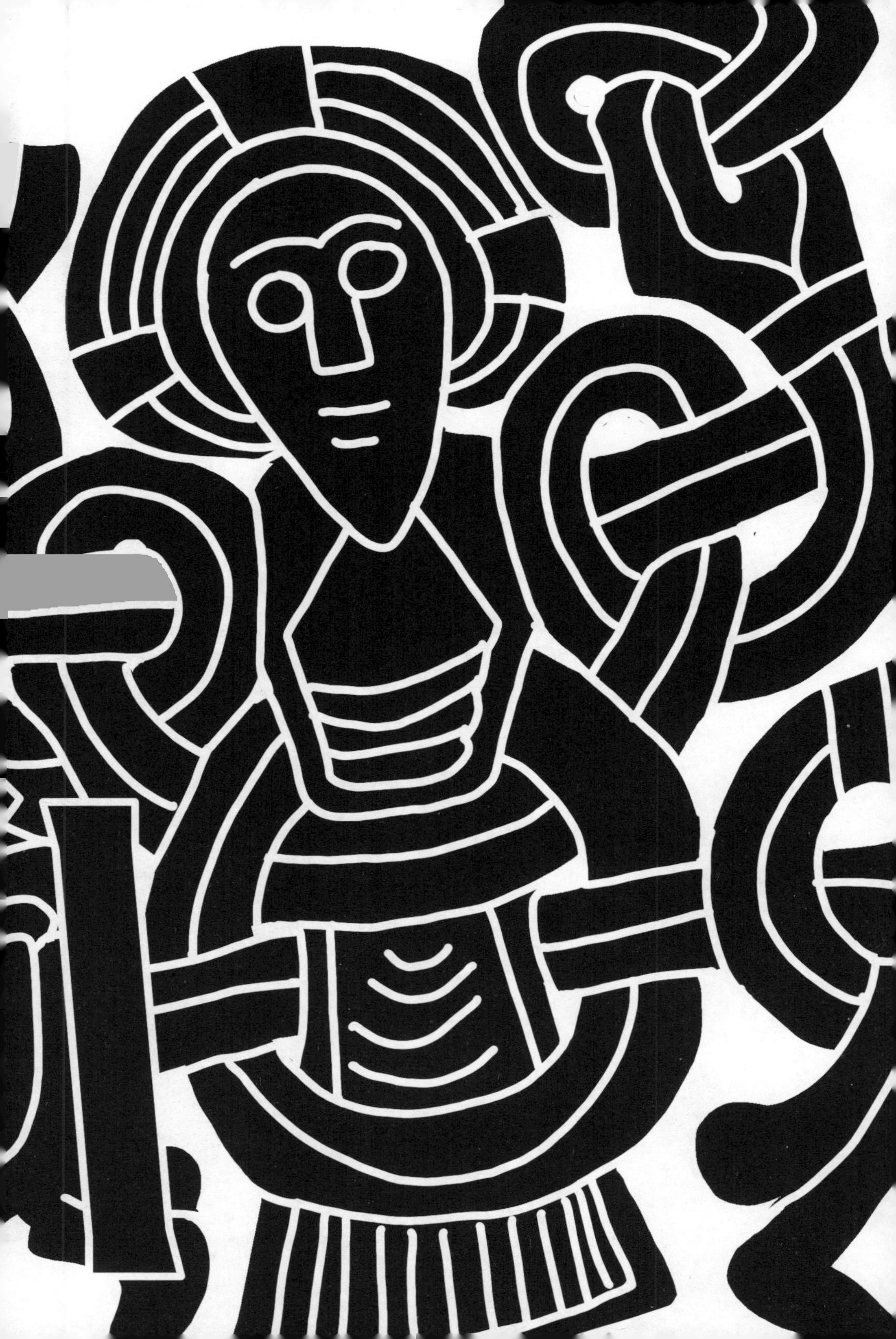

O funeral do príncipe viking Igor (Ingvar), o Velho, do principado de Kiev, na atual Ucrânia. Reconstituição por Heinrich Semiradzki, 1883.

FUNERAL VIKING

A expressão "funeral viking" é usada para se referir a uma ideia estereotipada sobre uma das práticas fúnebres realizadas na Era Viking: a cremação em embarcações. Foi por meio das artes, especialmente do cinema, tendo como referência o filme *Vikings* (1958), que o funeral de chefe ou guerreiro ilustre se popularizou, sendo realizado colocando-se o corpo e os pertences num barco ou navio que seria incendiado com flechas flamejantes. Essa cena bastante simbólica acabou sendo perpetuada para outros filmes, séries, jogos e os quadrinhos, mas uma dúvida deve vir aos leitores: esse tipo de funeral realmente existiu?

Na mitologia nórdica, é informado que Balder e Nanna foram cremados num navio, e uma das versões do funeral do herói Sigurd é que foi cremado num barco. Além desses relatos, a arqueologia revelou que realmente embarcações foram usadas para intuitos fúnebres, mas de diferentes formas.

Por um lado, em algumas partes da Suécia, temos os barcos de pedra, que são túmulos demarcados com pedras em formato de barco. Ali eram sepultados os restos mortais ou cinzas do falecido. Por outro lado, temos os casos de navios que foram enterrados, como os navios de Oseberg e Gokstad, ambos descobertos na Noruega. Nesses dois casos, os mortos foram acompanhados de vários objetos, móveis e animais sacrificados. Dessa forma, a arqueologia atesta dois tipos de sepultamento envolvendo embarcações: o primeiro em aspecto figurativo e o segundo em aspecto literal.

Mas, quanto à cremação em embarcações, esta é mais difícil de ser analisada. Além da inumação, os nórdicos tinham o hábito de cremar os mortos, mas isso geralmente era feito em piras fúnebres. O problema de se fazer em barcos ou navios é que eles eram destruídos, logo, encontrar vestígios deles é praticamente impossível. Todavia, existe um relato histórico que comprova que essa prática ocorria.

Funeral viking.
Frank Bernard Dicksee, 1893.

No século X, o embaixador árabe Ahmad ibn Fadlan (879–960), durante sua missão pelo leste europeu e arredores do mar Cáspio, seguindo pelo rio Volga, na Rússia, deparou-se com um grupo de nórdicos que realizavam o funeral de seu chefe. Ahmad permaneceu ali durante o rito, relatando, com espanto, aquela prática que, para ele, era algo bárbaro. Ele comentou que o filho e os guerreiros do chefe não estavam aos prantos, mas desfrutavam de um banquete, embebedavam-se e tinham relações sexuais com as escravas. Ahmad também relatou que uma escrava e alguns animais foram sacrificados e que seus corpos foram colocados no navio do chefe, onde estava o corpo dele, sua espada, seu escudo e outros pertences. Ao final do rito, o filho, estando nu, pegou uma tocha e incendiou a embarcação.

Embora o relato de Ahmad ibn Fadlan contenha o espanto de um muçulmano diante de crenças religiosas estranhas para ele, o livro, que foi traduzido para o português como *Viagem ao Volga*, é o melhor relato que se tem até hoje de um funeral viking, em que uma pessoa era cremada numa embarcação. A história de Ahmad ibn Fadlan inspirou o livro *Devoradores de Mortos* (1976), de Michael Crichton (mesmo autor de *Jurassic Park*, *Congo*,

Westworld, entre outros filmes e livros). Seu livro foi adaptado ao cinema como *O 13º Guerreiro* (1999), tendo Antonio Banderas no papel de Ahmad.

VINLAND

Na "Saga de Erik, o Vermelho" e na "Saga dos groenlandeses", são mencionados três lugares a oeste da Groenlândia. O primeiro era chamado de Helluland (Terra das Rochas), o segundo, de Markland (Terra da Madeira), e o terceiro, mais ao sul, de Vinland (Terra das Vinhas). Esses três, hoje em dia, correspondem à costa leste do Canadá. Embora não se saiba exatamente seus limites, os historiadores e arqueólogos apontam que Helluland seria a costa da ilha de Bafin, Markland, a costa de Labrador, e Vinland, por sua vez, a ilha de Newfoundland (Terra Nova) e seus arredores.

Das três localidades, Vinland é a mais famosa, por ter sido ali estabelecida uma colônia nórdica. De acordo com as sagas citadas, o local foi "descoberto" por volta do ano 1000 por Leif Eriksson e sua tripulação, que exploravam as águas ao sul de Markland. O chefe da expedição percebeu que se tratava de uma região de clima mais agradável, sem florestas densas, possibilitando o estabelecimento de fazendas. Além disso, eles teriam encontrado frutas silvestres comparáveis a vinhas, o que levou a região a ser nomeada Vinland.

Leif Eriksson era o filho mais velho de Erik, o Vermelho, o colonizador da Groenlândia. Com a morte do pai, em algum momento do começo do século XI, Leif o sucedeu no controle das terras e na administração da colônia, entretanto, outros colonos seguiram para Vinland para formar colônia. Um deles era Thorvald Eriksson, irmão de Leif, que acabou sendo assassinado num ataque de indígenas.

Vários anos depois, por volta de 1010, Thorfinn Karlsini estabeleceu nova colônia, a qual durou cerca de três anos, tendo de ser abandonada por conta de ataques indígenas. Dois anos depois, a irmã caçula de Leif, Freydis Eriksdotter, seu marido e um grupo de colonos voltaram a Vinland, mas permaneceram dois anos, após desistirem de manter o assentamento devido a problemas com os indígenas. Depois disso, não se sabe se houve outras tentativas de montar novas colônias em Vinland, pois as sagas nada comentam a respeito.

Batalha entre Vikings e Skraelings, séc. XXI.

    As duas sagas mencionam, de forma breve, que houve quinze anos de tentativas para se fundar uma colônia duradoura em Vinland, mas que, devido às ameaças dos povos nativos, chamados de *skraelings* ("feios"), os assentamentos duraram em média dois anos. Além da ameaça deles, houve problemas envolvendo abastecimento de comida, intrigas e desavenças de liderança. No entanto, onde ficaria esse assentamento?

    Um deles foi descoberto no norte da ilha de Newfoundland na década de 1960, provando que a presença escandinava na América do Norte era real. Na verdade, essa hipótese já era considerada desde o século XIX, em que estudiosos escandinavos e americanos defendiam que a Nova Escócia, o Maine e a Nova Hampshire seriam as terras de Vinland citadas nas sagas. No entanto, os estudiosos e entusiastas da época não tinham provas concretas, além de ignorarem o fato de que o Canadá era bem mais próximo da Groenlândia do que os Estados Unidos. Além disso, *fake news* foram criadas naquele tempo, como falsas inscrições rúnicas, o Mapa de Vinland, supostas ruínas e ossadas de supostos guerreiros vikings.

    Todavia, desde os anos 1960, ficou determinado pela arqueologia que Vinland compreendia algumas terras da costa do Canadá, tendo sido encontrado um dos seus assentamentos em Newfoundland, hoje conhecido como sítio L'Anse-aux-Meadows (Caverna das Águas-Vivas).

Com as descobertas arqueológicas do século XX, o governo estadunidense criou, em 1964, o Dia de Leif Eriksson, celebrado em 9 de outubro, como data simbólica para a chegada dos primeiros europeus às Américas, antecedendo a expedição de Cristóvão Colombo em quase quinhentos anos.

A história de Vinland inspirou produções midiáticas como a novela histórica *Vinland the Good* (1946), o livro juvenil *Vinland the Good* (1998), o mangá de ficção histórica *Vinland Saga* (2005), o filme de ação *Desbravadores* (2007), a última temporada da série *Vikings*, exibida em 2020, um dos mapas do jogo *Assassin's Creed: Valhalla* (2020), entre outras produções.

BLUETOOTH

O Bluetooth é uma tecnologia de transmissão de dados sem fio para curtas distâncias bastante utilizada nos smartphones, computadores, smart TVs e outros aparelhos similares. Ele foi criado pela empresa de tecnologia Bluetooth Special Interest Group, fundada em 1998, em Kirkland, no estado de Washington, Estados Unidos. Originalmente, esse nome era apenas de caráter provisório, o título de um projeto ainda em fase de desenvolvimento. O nome Bluetooth foi sugerido por Jim Kardach ainda em 1997, época em que a tecnologia estava em desenvolvimento. Na ocasião, conversando com Sven Mattisson, que era de origem dinamarquesa, Kardach falou sobre a história do país do colega e citou um rei chamado Haroldo Dente-Azul (Harald Bluetooth), achando interessante aquele epíteto incomum; isso o fez adotar o nome do monarca como título temporário.

O rei Haroldo Gormsson (935–986) era o filho mais velho do rei Gorm, o Velho e da rainha Thyra, sucedendo seu pai no trono da Dinamarca em 958. Naquela época, Haroldo se converteu ao cristianismo e usou a nova fé para unificar o país, consolidando seu domínio. Antes de Gorm, a Dinamarca havia sido governada por vários reis de famílias distintas, as quais lutaram por décadas pelo controle do país, porém Gorm conseguiu iniciar uma dinastia que perdurou pelos próximos séculos.

Durante seu longo reinado de quase trinta anos, Haroldo consolidou o controle sobre a Dinamarca, instituiu o cristianismo como religião estatal (embora na prática não tenha sido assim, pois o paganismo continuou vigorando até o século XII pelo menos), mandou construir muralhas e fortificações no sul para se proteger dos ataques regulares dos germânicos, incentivou o comércio e mandou invadir a Noruega, conquistando-a em 970, escolhendo um regente para representá-lo; isso tudo causou vários problemas internos, os quais até incentivaram a colonização da Islândia e novas levas de imigrantes para as ilhas da Escócia, a Inglaterra e a Irlanda.

Para celebrar seu reinado, Haroldo mandou fazer a pedra rúnica de Jelling 2, situada na cidade de Jelling, erguida ao lado do monumento de seu pai, a Jelling 1. Na Jelling 2, pode-se ler: "Haroldo rei mandou fazer erguer esta [pedra] em honra de Gorm, seu pai, e de Thyra, sua mãe; Haroldo que, para si, conquistou a Dinamarca toda e a Noruega, e os dinamarqueses fez cristãos".

Seu reinado acabou de forma atribulada, pois seu filho, Sueno Barba-Bifurcada (965–1014) promoveu um golpe de estado para destronar o pai, provocando a sua morte. Todavia, o curioso epíteto Dente-Azul é mencionado apenas mais de um século após a morte de Haroldo, aparecendo pela primeira vez na "Crônica de Roskilde" (1140), em que o rei era chamado de Haraldr Blatann. Esse nome era um epíteto que, hoje em dia, é traduzido como "dente azul", o problema é que nem sempre a palavra teve esse significado. No nórdico antigo, a palavra "*blá*" significava tanto azul quanto preto; dessa forma, nas fontes medievais, Haroldo era referido como o Dente-Preto, não Dente-Azul. Porém, na língua dinamarquesa, a palavra "*blá*" se tornou azul.

Apesar dessa mudança de cor, ainda hoje não se sabe por qual motivo as crônicas medievais se referiam a Haroldo por esse epíteto. As hipóteses propostas sugerem que ele teria dentes careados ou manchados. Algumas até falaram que ele gostava de comer mirtilo, o que deixaria os dentes azulados na ocasião, outras sugerem que Dente-Preto/Dente-Azul poderia ser uma metáfora cujo significado é desconhecido hoje em dia. Sendo assim, não há uma explicação exata para esse curioso epíteto.

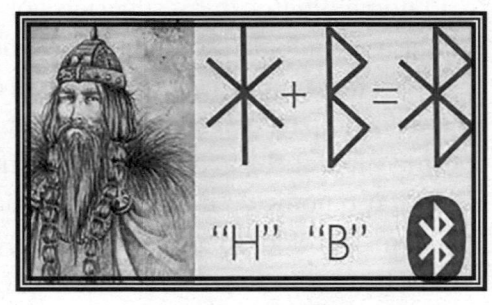

Rei Herald e caracteres H e B em Latim.

De qualquer forma, o logotipo do Bluetooth representa um dente azul e conta com duas runas do Futhark antigo, a Hagall (ᚼ) e a Bjarkan (ᛒ), que representam as iniciais do nome rei.